ELISABETH KÜBLER-ROSS

Née en 1926, médecin, psychiatre, thanatologue de réputation internationale, Elisabeth Kübler-Ross est avant tout une pionnière en matière d'accompagnement des personnes en fin de vie. Professeur honoraire de médecine du comportement et de psychiatrie à l'université de Virginie, fondatrice du centre de Shanti Nilaya où sont accueillis des enfants atteints du sida, elle est docteur *honoris causa* de nombreuses universités.

Aujourd'hui paralysée, elle vit à Scotland en Arizona.

LA MORT EST UN NOUVEAU SOLEIL

DU MÊME AUTEUR
CHEZ POCKET

LA MORT, DERNIÈRE ÉTAPE DE LA CROISSANCE

MÉMOIRES DE VIE, MÉMOIRES D'ÉTERNITÉ

LA MORT EST UNE QUESTION VITALE

ACCUEILLIR LA MORT

LEÇONS DE VIE

ELISABETH KÜBLER-ROSS

La mort est un nouveau soleil

POCKET

Titre original :

ÜBER DEN TOD UND DAS LEBEN DANACH

Traduit de l'allemand
par Renate Prym-Khoshkish

ISBN : 2-266-12219-3

Sommaire

Introduction

Le docteur Elisabeth Kübler-Ross, d'origine suisse, qui travaille et enseigne depuis plus de vingt ans dans plusieurs hôpitaux et universités aux Etats-Unis, a acquis une renommée dans le domaine de la thanatologie, de sorte que dans sa patrie d'adoption, ses livres sont devenus des ouvrages de référence pour médecins et infirmières. Admirée et honorée, sans doute n'y a-t-il pas dans le monde entier d'autre scientifique qui ait reçu autant de titres de docteur *honoris causa*. Elle a passé des centaines d'heures au chevet de mourants et noté leurs comportements qu'elle a classés en cinq phases. Aussi longtemps qu'elle consigna et publia le vécu et les souffrances de ses malades jusqu'à leur mort clinique, ses collègues l'approuvèrent.

Mais lorsque, dans des conférences et interviews, elle commença à rapporter que des mourants lui faisaient souvent part d'expériences extracorporelles, voire de l'au-delà, que — confortée par ses propres expériences — elle n'était plus prête à écarter comme des hallucinations, beaucoup de gens se détournèrent d'elle et dirent d'elle qu'elle était « dérangée ». On ne put admettre que tout d'un coup elle se tournât vers un domaine de recherche considéré comme non sérieux, à savoir la question de la vie après la mort. Il ne pouvait y avoir de vie après la mort, puisque d'après la pensée matérialiste, l'homme et son corps, composé d'atomes et d'énergie, étaient une seule et même chose, de sorte qu'avec la mort du corps, son âme et donc toute son existence devaient être considérées comme terminées. Le fait qu'Elisabeth Kübler-Ross n'arrêtait pas sa recherche là où elle franchissait la limite de ce qu'on estimait pouvoir explorer mais que, malgré toutes les manifestations d'hostilité, elle continuait courageusement à parler de ses observations et des déductions en résultant, sembla à beaucoup de gens une trahison de son intégrité scientifique. Dans une interview, elle fit la déclaration suivante : « A mon avis, est scientifiquement honnête celui qui note ses découvertes et explique comment il est arrivé à sa conclusion. On devrait se méfier de moi et même m'accuser de prostitution si je ne publiais que ce qui plaît à l'opinion générale. Il n'est pas dans mes intentions de convaincre, voire de convertir, qui que ce soit. Je considère que mon travail consiste en la transmission des résultats de la recherche. Ceux qui y sont prêts me croiront. Et ceux qui ne le sont pas, argumenteront avec ratiocinations et pédanterie. »

Alors qu'elle est devenue aux Etats-Unis une célébrité depuis plus d'une décennie, on commence seulement depuis quelques années à la découvrir en Europe.

Les téléspectateurs suisses ont pu la voir dans une interview avec le théologien catholique, le professeur Hans Küng. En France, elle a tenu un rôle important dans une émission télévisée de B. Martino intitulée « Voyage au bout de la vie ». Ses publications parues en France, en Suisse et en Allemagne, sont de plus en plus remarquées.

Au cours des deux émissions du Süd-west-funk elle énonce ses convictions fondées sur ses propres recherches scientifiques : « La mort n'est qu'un passage dans une autre forme d'une autre vie sur une autre fréquence », et : « L'instant de la mort est une expérience unique, belle, libératrice, que l'on vit sans peur ni détresse. » Jamais sans doute les téléspectateurs n'avaient entendu de la part d'un médecin une affirmation aussi positive sur la mort. Et lorsqu'on lui demande si elle a elle-même peur de la mort, elle avoue spontanément : « Non, pas du tout ; je m'en réjouis d'avance. » Pour elle, le fait de se préoccuper de la mort n'est pas une fuite devant la vie — au contraire. L'intégration de la mort dans sa pensée permet à l'homme de vivre de façon plus consciente et plus concentrée et le préserve de gaspiller « trop de temps pour des choses sans importance. »

La mort qui jusqu'à présent était l'épouvantail de l'humanité moderne, qu'on préférait ignorer, qu'on écartait sciemment comme l'ennemi de la vie, perd maintenant de sa terreur. Une femme médecin vivante et positive a découvert au cours de ses recherches que nous n'avons rien à craindre de la mort, car la mort n'est pas la fin, elle est plutôt « un commencement rayonnant ».

Dans l'interview retransmise par la télévision suisse, le professeur Hans Küng souligne l'importance de cette femme courageuse lorsqu'il dit que non seulement les théologiens, mais « un nombre incalculable d'hommes » lui sont « infiniment reconnaissants », puisqu'elle s'est posé ces questions sur la mort et a ainsi « rompu le tabou », rendant la médecine « à nouveau ouverte à ces questions ». Dans la même émission, Elisabeth Kübler-Ross déclare que notre vie dans le corps terrestre ne représente qu'une « toute petite partie de notre existence ». La vie n'est donc pas, comme la science matérialiste le dit, limitée à une seule vie. Cette vie terrestre est plutôt une minuscule partie d'une existence individuelle globale qui va bien au-delà de notre vie ici-bas. N'est-ce pas rassurant de savoir qu'avec notre mort ce n'est pas simplement « fini » mais que des choses merveilleuses nous attendent ? Ce petit livre rapportera comment Elisabeth Kübler-Ross a eu la connaissance et la conviction d'une vie après la mort, et quelles sont les expériences des hommes immédiatement après leur décès.

Ce livre a été composé à partir des conférences qu'elle a données sur le thème « La vie après la mort ». Trois sources ont été utilisées : tout d'abord une conférence donnée en décembre 1982 en Suisse sous le titre *Leben und Sterben* (*Vivre et mourir*) que nous reproduisons en extraits afin de ne pas anticiper sur les deux contributions suivantes. Suit une conférence donnée en 1977 à San Diego/Californie avec le titre *There is no death (La mort n'existe pas)*. Puis enfin une cassette d'enseignement que l'auteur a enregistrée en 1980 avec pour titre *Life, death and life after death (La Vie, la mort et la vie après la mort).*

Vivre et mourir

Beaucoup de gens disent : « Le docteur Ross a vu trop de mourants. Maintenant elle commence à devenir bizarre. » L'opinion que les gens ont de vous est leur problème et non pas le vôtre. Il est très important de le savoir. Si vous avez bonne conscience et que vous faites votre travail avec amour, on vous crachera dessus, on vous rendra la vie difficile. Et dix ans plus tard on vous donnera dix-huit titres de docteur *honoris causa* pour le même travail. C'est ainsi qu'est ma vie maintenant.

Lorsque, pendant de nombreuses années l'on est assis au chevet d'enfants et de personnes âgées qui meurent, lorsqu'on les écoute et qu'on les écoute vraiment, on s'aperçoit qu'ils savent que la mort est proche. Tout d'un coup quelqu'un vous dit au revoir alors que vous êtes loin de penser que la mort pourrait intervenir prochainement. Mais si vous ne refusez pas cette déclaration, si vous restez assis, le mourant vous dit tout ce qu'il voudrait vous communiquer. Lorsque ce malade meurt ensuite, vous avez le bon sentiment d'être peut-être la seule personne qui ait pris ses mots au sérieux.

Nous avons étudié vingt mille cas du monde entier d'hommes qui avaient été déclarés cliniquement morts et qui ont été rappelés à la vie. Quelques-uns se sont réveillés naturellement, d'autres seulement après une réanimation.

Je voudrais vous expliquer très sommairement ce que chaque être va vivre au moment de la mort. Et cette expérience est générale, donc indépendante du fait que vous soyez aborigène d'Australie, hindou, musulman, chrétien ou incroyant ; elle est également indépendante de votre âge ou de votre statut socio-économique. Car il s'agit d'un événement purement humain, comme le processus normal d'une naissance est un événement purement humain.

L'expérience de la mort est presque identique à celle de la naissance. C'est une naissance dans une autre existence qui peut être prouvée d'une façon tout à fait simple. Pendant deux mille ans on vous a invités à « croire » aux choses de l'au-delà. Pour moi ce n'est plus une affaire de croyance mais une affaire de connaissance. Et je vous dirai volontiers comment on obtient cette connaissance, pourvu que vous vouliez le savoir. Mais si vous ne le voulez pas, cela n'a aucune importance. Lorsque vous serez mort, vous le saurez de toute façon. Et je serai là et me réjouirai tout particulièrement pour ceux qui disent aujourd'hui : « Ah, la pauvre Mme Ross. »

Au moment de la mort il y a trois étapes. Avec le langage que j'utilise pour de très jeunes enfants mourants (et aussi dans la lettre Dougy), je dis que la mort physique de l'homme est identique à l'observation que nous pouvons faire lorsque le papillon quitte le cocon. Le cocon et sa larve sont le corps humain passager. Ils ne sont toutefois pas identiques à vous, n'étant qu'une maison provisoire, si vous pouvez l'imaginer ainsi. Mourir est tout simplement déménager dans une plus belle maison, symboliquement s'entend.

Dès que le cocon est endommagé de façon irréversible, que ce soit par suicide, meurtre, infarctus ou maladie chronique — peu importe comment — il va libérer le papillon, c'est-à-dire votre âme. Dans cette deuxième étape, lorsque votre papillon — toujours symboliquement — a quitté son corps, vous vivrez des événements importants dont vous devez connaître l'existence pour ne plus jamais avoir peur de la mort.

Dans la deuxième étape vous serez approvisionné en énergie psychique, alors que dans la première étape vous l'êtes en énergie physique. Dans cette dernière vous avez besoin d'un cerveau qui fonctionne, c'est-à-dire d'une conscience éveillée, pour pouvoir communiquer avec les autres. Dès que ce cerveau — ou ce cocon — est trop endommagé, vous n'avez évidemment plus de conscience éveillée. Au moment où celle-ci vous manque, c'est-à-dire quand le cocon est endommagé au point que vous ne puissiez plus respirer et que vos pulsations cardiaques et vos ondes cérébrales ne puissent plus être mesurées, le papillon se trouve déjà à l'extérieur du cocon. Ce qui ne veut pas dire que vous êtes déjà mort, mais que le cocon ne fonctionne plus. En quittant ce cocon, vous arrivez dans la deuxième étape de l'énergie psychique. Les énergies psychique et physique sont les deux seules énergies que l'homme puisse manipuler.

Le plus grand cadeau que Dieu ait fait aux hommes est le libre arbitre. Et de tous les êtres vivants, seul l'homme possède ce libre arbitre. Vous avez donc le choix d'utiliser ces énergies de façon négative ou positive. Cela veut dire que les deux vies dans les corps respectifs peuvent être négatives ou positives. Dès que vous êtes un papillon libéré, c'est-à-dire dès que votre âme a quitté le corps, vous vous apercevez d'abord que vous voyez tout ce qui se passe sur le lieu de votre mort, dans la chambre de malade, sur le lieu de l'accident ou là où vous avez quitté ce corps. Vous ne percevez plus alors ces événements avec votre conscience mortelle, mais avec une perception nouvelle. Vous enregistrez tout, et ce au moment où vous n'avez plus de tension artérielle, où vous n'avez plus ni pouls ni respiration, parfois même en l'absence d'ondes cérébrales. Vous savez exactement ce que chacun dit et pense et comment il se comporte. Et vous pourrez par la suite dire avec précision qu'on a dégagé le corps de la voiture accidentée avec trois chalumeaux de découpage. Il y a même eu des personnes qui nous ont précisé l'immatriculation de la voiture qui les avait renversées mais qui avait poursuivi sa route. On ne peut expliquer scientifiquement que quelqu'un qui n'a plus d'ondes cérébrales puisse encore lire une immatriculation. Les savants doivent être humbles. Nous devons accepter avec humilité qu'il y ait des millions de choses que nous ne comprenons pas encore. Mais *cela ne veut pas dire que ces choses*, uniquement parce que nous ne les comprenons pas, n'existent pas ou *ne sont pas réalités*.

Si je me servais maintenant d'un sifflet pour chien, vous ne pourriez l'entendre, alors que chaque chien l'entendrait. La raison en est que l'ouïe humaine n'est pas conçue pour la perception de ces hautes fréquences. De même, l'être moyen ne peut percevoir cette âme qui a quitté le corps, alors que cette âme libérée peut encore enregistrer les longueurs d'onde terrestres pour comprendre tout ce qui se passe sur le lieu de l'accident ou ailleurs.

Beaucoup de gens quittent leur corps au cours d'une intervention chirurgicale et regardent effectivement cette intervention. Tous les médecins et infirmières doivent avoir conscience de ce fait. Cela veut dire qu'auprès d'une personne inconsciente ils ne doivent parler que de choses que celle-ci pourrait entendre de toute manière. C'est triste ce qui se dit parfois en présence de malades inconscients, alors que ceux-ci peuvent tout entendre.

Il faut aussi que vous sachiez que si vous approchez le lit de votre mère mourante ou de votre père mourant se trouvant déjà dans un coma profond, cette femme ou cet homme entend tout ce que vous dites. Et il n'est en aucun cas trop tard pour dire : « je regrette », « je t'aime », ou tout ce que vous voulez dire. Pour de telles paroles il n'est de toute manièrc jamais trop tard, même après la mort, puisque les personnes décédées entendent encore ce que vous dites. Vous pouvez même à ce moment-là arranger des « affaires non réglées », même si elles remontent à dix ou vingt ans, et vous libérer ainsi de votre culpabilité pour pouvoir revivre vous-même.

Dans cette deuxième étape, « le mort » — si je puis m'exprimer ainsi — remarquera également qu'il est à nouveau intact. Les aveugles peuvent voir. Les sourds ou les muets entendent et parlent à nouveau. Une de mes malades qui avait une sclérose en plaques, vivait en chaise roulante et avait des difficultés à parler, m'a dit en premier, tout heureuse, à son retour d'une expérience du seuil de la mort : « Dr Ross, je pouvais à nouveau danser. » Et ils sont des milliers dans des chaises roulantes qui pourront enfin danser à nouveau. Lorsqu'ils reviendront, ils se retrouveront évidemment à nouveau dans leur vieux corps malade.

Vous comprendrez donc que cette expérience extracorporelle est un événement merveilleux, qui rend heureux. Les petites filles qui, suite à une chimiothérapie ont perdu tous leurs cheveux, me disent après une telle expérience : « J'avais à nouveau mes belles boucles. » Les femmes qui ont subi une amputation de la poitrine la retrouvent. Tous sont à nouveau intacts. Ils sont parfaits.

Nombreux sont mes collègues sceptiques qui disent : « Il s'agit d'une projection de désir. » Dans cinquante et un pour cent de tous les cas que je cite, il s'agit de morts subites. Je ne crois pas que quelqu'un se rende à son travail en rêvant qu'il va continuer à disposer de ses deux jambes en traversant la rue. Et tout d'un coup, à la suite d'un accident grave, il voit sur la rue une jambe séparée de son corps, alors qu'il est néanmoins en possession de ses deux jambes.

Tout cela n'est évidemment pas une preuve pour un sceptique. Et afin de rassurer ceux-ci, nous avons réalisé un projet de recherche en nous imposant comme condition de ne prendre en compte que des aveugles qui n'avaient plus eu de perception lumineuse depuis au moins dix ans. Et ces aveugles, qui ont eu une expérience extracorporelle et en sont revenus, peuvent vous dire dans le détail quelles couleurs et quels bijoux vous portiez à ce moment-là, quel était le dessin de votre pull-over ou de votre cravate, et ainsi de suite. Vous comprendrez qu'il ne saurait s'agir là de visions. Vous pouvez très bien interpréter ces faits si la réponse ne vous fait pas peur. Mais si elle vous fait peur, vous serez comme ces sceptiques qui m'ont dit que ces expériences extracorporelles étaient à considérer comme le résultat d'un manque d'oxygène. Eh bien, s'il ne s'agissait ici que d'un manque d'oxygène, j'en prescrirais à tous mes aveugles. Comprenez-vous ? Si quelqu'un ne veut pas admettre un fait, il trouve mille arguments pour le nier. Mais cela à nouveau est son problème. N'essayez pas de convertir les autres. Lorsqu'ils mourront, ils le sauront de toute manière.

Dans cette seconde étape vous vous apercevez également que personne ne peut mourir seul. Lorsqu'on quitte le corps on se trouve dans une existence dans laquelle il n'y a plus de temps, où le temps n'existe tout simplement plus, de même qu'on ne saurait parler ici d'espace et de distance dans le sens où nous l'entendons, puisqu'il s'agit là de notions terrestres. Si par exemple un jeune Américain meurt au Viêt-nam et pense à sa mère à Washington, la force de sa pensée franchit ces milliers de kilomètres et il se trouve instantanément auprès de sa mère. Dans cette deuxième étape, il n'y a donc plus de distances. De nombreux vivants ont fait l'expérience de ce phénomène lorsque tout à coup ils prenaient conscience que quelqu'un, habitant à distance, se trouvait près d'eux. Et le lendemain ils recevaient un appel téléphonique, ou un télégramme, les informant que la personne en question était morte à des centaines ou des milliers de kilomètres de chez eux. Ces personnes ont évidemment une grande intuition, car normalement on ne prend pas conscience de telles visites.

Dans cette deuxième étape vous vous apercevez également qu'aucun être humain ne peut mourir seul, non seulement parce que le mort est en mesure de rendre visite à n'importe qui, mais également parce que des gens qui sont morts avant vous, et que vous aimiez, vous attendent toujours. Et puisque le temps n'existe pas, quelqu'un qui à vingt ans a perdu un enfant, peut en mourant à quatre-vingt-dix-neuf ans retrouver son enfant comme enfant, puisque pour ceux de l'autre côté une minute peut avoir la durée de cent ans de notre temps.

Ce que l'Eglise raconte aux petits enfants à propos de leur ange gardien est fondé sur des faits, car il est prouvé que chaque être, de sa naissance à sa mort, est accompagné d'êtres spirituels. Chaque homme a de tels guides, que vous le croyiez ou non, et que vous soyez juif, catholique ou sans religion n'a aucune importance. Car cet amour est inconditionnel, et c'est pourquoi à chaque homme est fait le cadeau d'un guide. Ce sont eux que mes petits enfants appellent « compagnons de jeu ». De tout petits enfants parlent avec leurs « compagnons de jeu » et en sont parfaitement conscients. Mais dès qu'ils entrent à l'école, les parents leur disent : « Maintenant tu es grand. Tu vas à l'école. Il ne faut plus jouer à ces enfantillages. » Ainsi on oublie qu'on a des « compagnons de jeu », jusqu'à ce qu'on se trouve sur son lit de mort. Et soudain une vieille femme qui meurt me dit : « Le voilà à nouveau. » Et sachant de quoi elle parle, je demande à cette femme de partager avec moi ce qu'elle vient de vivre. Et elle m'explique : « Voyez-vous, lorsque j'étais petite, il était toujours avec moi. Mais j'avais complètement oublié qu'il existait. » Et le lendemain elle meurt, heureuse de savoir que quelqu'un qui l'a beaucoup aimée l'attend à nouveau.

En général vous êtes attendu par la personne que vous aimiez le plus. C'est elle que vous rencontrez toujours en premier. Chez les tout petits enfants de deux ou trois ans par exemple, dont les grands-parents et parents ainsi que les autres membres de la famille sont encore en vie, c'est en général leur ange gardien personnel qui les accueille, ou ils sont reçus par Jésus ou un autre personnage religieux. Je n'ai jamais fait l'expérience qu'un enfant protestant ait vu Marie au moment de sa mort, alors qu'elle est aperçue par de nombreux enfants catholiques. Il ne s'agit pas là d'une discrimination, mais ils sont tout simplement attendus de l'autre côté par ceux qui ont eu pour eux le plus d'importance.

Après avoir réalisé dans cette deuxième étape l'intégralité retrouvée du corps et rencontré ceux que l'on aime, on prend conscience que la mort n'est qu'un passage dans une autre forme de vie. On a abandonné les formes physiques terrestres car on n'en a plus besoin. Et avant de quitter son corps pour prendre la forme que l'on aura dans l'éternité, on passe par une phase de transition entièrement empreinte par des facteurs culturels terrestres. Il peut s'agir du passage d'un tunnel ou d'un portail ou de la traversée d'un pont. Originaire de la Suisse, j'ai traversé un col alpin avec des fleurs sauvages. Chacun a le ciel qu'il imagine. Et pour moi, le ciel c'est évidemment la Suisse, avec des montagnes et des fleurs sauvages. J'ai pu vivre cette transition comme un col alpin de toute beauté dont les herbages étaient si colorés de fleurs qu'ils me faisaient l'effet d'un tapis persan.

Et ensuite, dès que vous avez accompli ce passage, une lumière rayonne au bout. Et cette lumière est plus que blanche, elle est d'une *clarté absolue*. Et au fur et à mesure que vous approchez cette lumière, vous êtes rempli du plus grand amour, indescriptible et inconditionnel, que vous puissiez imaginer. Il n'y a pas de mots pour le décrire.

Lorsque quelqu'un a une expérience du seuil de la mort, il ne peut regarder cette lumière que très brièvement. Et il faut qu'il retourne tout de suite sur terre. Mais lorsque vous mourez — je veux dire mourir définitivement —, ce contact entre le cocon et le papillon que l'on pourrait comparer à un cordon ombilical, *cordon d'argent**, est rompu. Après, il n'est plus possible de retourner dans le corps terrestre. Mais vous ne voulez de toute façon pas y retourner, car lorsqu'on a vu la lumière, personne ne veut plus revenir. Et dans cette lumière vous vous rendez compte pour la première fois de ce que l'homme aurait pu être. Vous y vivez la compréhension sans jugement, vous y vivez un amour inconditionnel, indescriptible. Et

* Nom de la maison d'édition allemande.

dans cette présence que beaucoup appellent Christ ou Dieu, Amour ou Lumière, vous réalisez que toute votre vie ici-bas n'est qu'une école par laquelle vous devez passer, que vous devez y apprendre certaines choses et sortir victorieux de certaines épreuves. Quand vous avez terminé le programme et réussi les examens, vous pouvez rentrer.

Beaucoup demandent : « Pourquoi de si beaux enfants doivent-ils mourir ? » La réponse est tout simplement que ces enfants ont appris en peu de temps ce qu'ils avaient à apprendre. Et selon les personnes, il s'agit de choses *tout à fait* différentes. Mais chacun doit apprendre une chose avant de pouvoir retourner là d'où il vient, c'est l'amour inconditionnel. Lorsque vous l'avez appris et pratiqué, vous avez réussi le plus important des examens.

Dans cette Lumière, en présence de Dieu, du Christ, ou quel que soit le nom que vous lui donniez, vous devez regarder toute votre vie terrestre, du premier jour jusqu'au jour de la mort. En revoyant votre propre vie, vous êtes dans la troisième étape. Dans cette étape, vous ne disposez plus de la conscience de la première étape ou de cette possibilité de perception caractéristique de la seconde. Maintenant vous possédez le savoir. Vous connaissez exactement chaque pensée que vous avez eue à tout moment de votre vie, vous connaissez chaque acte que vous avez accompli et chaque parole que vous avez prononcée. Mais cette possibilité de se souvenir n'est qu'une infime partie de votre savoir total. Car au moment où vous regardez encore une fois toute votre vie, vous réalisez toutes les conséquences qui ont résulté de chacune de vos pensées, de chacune de vos paroles et de chacun de vos actes.

Dieu est l'Amour inconditionnel. Lors de la « révision » de votre vie ce n'est pas Lui que vous rendrez responsable de votre destin. Vous réaliserez que c'est vous qui étiez votre pire ennemi, puisque vous devez maintenant vous reprocher d'avoir laissé passer tant d'occasions pour grandir. Maintenant, vous savez que lorsque votre maison a brûlé, que votre enfant est décédé, que votre mari a été blessé ou que vous-même avez eu une attaque d'apoplexie, il s'agissait de coups du sort à messages représentant des possibilités pour grandir, grandir en compréhension, en amour, en toutes choses que nous avons encore à apprendre. Et maintenant vous regrettez : « Au lieu d'avoir utilisé la chance ainsi offerte, je suis devenu de plus en plus amer, ma colère et aussi ma négativité ont augmenté... »

Nous avons été créés pour une vie simple, belle, merveilleuse. Et je tiens à souligner qu'il n'y a pas d'enfants battus, maltraités et oubliés qu'en Amérique, mais également dans la belle Suisse. Mon souhait le plus grand est que vous voyiez la vie différemment. Si vous regardiez la vie de la manière dont nous avons été créés, vous ne poseriez plus la question de savoir quelles vies on aurait ou non le droit de prolonger. Personne ne demanderait plus s'il faut administrer un cocktail lytique pour abréger une souffrance. Mourir ne doit *jamais* être souffrance. De nos jours, la médecine a les moyens d'empêcher les souffrances des mourants. Si ceux-ci ne souffrent pas, sont confortablement installés et soignés avec amour et si vous avez le courage de les emmener tous à la maison — tous ! dans la mesure du possible —, alors personne ne réclamera la mort.

Au cours des vingt dernières années, une seule personne m'a demandé d'en finir. Ce que je n'ai pas compris. Je me suis assise à ses côtés et lui ai demandé : « Pourquoi voulez-vous ça ? » Et elle m'a expliqué : « Je ne le veux pas. Mais ma mère ne peut plus supporter tout ceci.

C'est pourquoi je lui ai promis de demander une piqûre. » Bien entendu, nous avons eu un entretien avec la mère et nous l'avons aidée. Ce n'était pas la haine qui lui faisait exprimer cette demande désespérée, mais tout était devenu trop dur pour elle. Aucun mourant ne vous demandera une piqûre si vous le soignez avec amour et si vous l'aidez à régler ses problèmes en suspens.

Je voudrais également souligner que souvent le fait d'avoir un cancer est une bénédiction. Je ne veux pas diminuer tous les maux liés au cancer. Mais je voudrais signaler qu'il y a des choses cent mille fois pires que le cancer. J'ai des malades qui souffrent de sclérose latérale amyotrophique, c'est-à-dire d'une maladie neurologique où la paralysie s'installe progressivement jusqu'à la nuque. Ces malades ne peuvent plus respirer, ils ne peuvent plus parler. Je ne sais pas si vous pouvez imaginer ce que c'est que d'être totalement paralysé jusqu'à la tête. On ne peut pas écrire ni parler — rien. Si vous connaissez des personnes atteintes de ce mal, faites-le-moi savoir. Nous avons mis au point un tableau de paroles très utile qui permet aux malades de communiquer avec vous...

Je souhaite sincèrement que l'on essaie de montrer aux êtres un peu plus d'amour. Réalisez que ce sont ceux à qui vous offrez le plus gros cadeau de Noël qui sont souvent justement ceux que vous craignez ou pour lesquels vous avez des sentiments négatifs. Est-ce que vous vous rendez compte ? Je doute que ce soit utile de faire un grand cadeau à quelqu'un si à la place vous l'aimez inconditionnellement. Il y a vingt millions d'enfants qui meurent de faim. Adoptez un de ces enfants et faites des cadeaux plus petits. Et n'oubliez pas qu'il y a beaucoup de pauvreté en Europe occidentale. Partagez votre richesse. Et lorsque viennent les tempêtes de la vie, pensez que ces tempêtes sont un cadeau que vous reconnaîtrez comme tel, non pas maintenant mais peut-être dans dix ou vingt ans, puisqu'il vous donne de la force et vous apprend des choses que vous n'auriez pas apprises autrement. Si — symboliquement parlant — vous arrivez comme une pierre dans une machine à aiguiser, il dépend de vous d'être complètement broyé et détruit ou d'en sortir comme un diamant rayonnant.

Pour terminer je voudrais vous assurer que c'est un véritable cadeau que d'être assis au chevet de mourants, que *le mourir* n'est pas nécessairement une affaire triste et terrible, que vous pouvez au contraire y vivre des choses merveilleuses, beaucoup de tendresse. Et si vous transmettez à vos enfants et petits-enfants ainsi qu'à vos voisins ce que vous avez appris des mourants, ce monde sera bientôt à nouveau un paradis. Et je pense qu'il est temps de s'y mettre.

La mort n'existe pas

J'aimerais vous raconter comment un « rien » pesant deux livres à la naissance a réussi à trouver son chemin dans la vie et comment j'ai appris ce dont je vais vous parler. Je voudrais vous dire comment vous aussi pouvez arriver à la conviction que cette vie terrestre, que vous vivez dans votre corps physique, ne représente qu'une toute petite partie de votre existence globale. Néanmoins, votre vie actuelle a une très grande importance dans le cadre de votre existence globale, car vous êtes ici pour une raison précise qui vous est propre. Si vous vivez bien, vous n'avez pas de souci à vous faire à propos de la mort, même s'il ne vous reste qu'un jour à vivre. Le facteur temps ne joue qu'un rôle dérisoire, car il est de toute façon fondé sur une conception élaborée par l'homme.

Bien vivre veut dire : apprendre à aimer. Hier, j'étais très émue lorsque le conférencier disait : « Maintenant donc, foi, espérance et amour ; mais le plus grand des trois, c'est l'amour*. » En Suisse, on fait sa confirmation à seize ans, et on vous attribue un verset qui est censé vous accompagner dans la vie. Puisque nous étions des triplés, il a fallu trouver un verset qui nous convenait à tous les trois. On s'est mis d'accord sur le verset ci-dessus, et à moi on a donné le mot Amour. C'est pourquoi j'aimerais vous parler de l'amour. Pour moi,

* Les versions anglaise et allemande de la Bible emploient le terme « amour » à la place de « charité » que l'on trouve dans la version française.

Amour veut dire vie et mort, car les deux sont la même chose.

Je suis née comme une enfant « non désirée ». Non pas que mes parents ne voulussent pas d'enfant, au contraire, ils désiraient une fille, mais une fille bien portante de dix livres. Ils ne s'attendaient pas à des triplés. Et lorsque j'apparus, je ne pesais que deux livres et j'étais très laide. Je n'avais pas de cheveux et j'étais sûrement pour eux une très, très grande déception. Quinze minutes plus tard naquit le second et vingt minutes après le troisième enfant qui pesait six livres et demie. Nos parents étaient enfin heureux, bien qu'ils eussent préféré rendre deux d'entre nous.

Je crois que rien dans la vie n'est dû au hasard. Et certainement pas les circonstances de ma naissance. Elles m'ont donné le sentiment que même un rien de deux livres devait prouver de toutes ses forces qu'il avait le droit de vivre. J'ai dû travailler très durement, comme les aveugles qui se croient obligés de s'appliquer dix fois plus pour ne pas perdre leur emploi.

A la fin de la Seconde Guerre mondiale j'étais teen-ager. Je ressentais un grand besoin de faire quelque chose pour ce monde si secoué par la guerre. Je m'étais juré qu'à la fin de la guerre j'irais en Pologne pour y participer aux premiers secours et aider à parer au plus pressé. J'ai tenu ma promesse. Et je crois que c'est là que se situe le début de mon travail ultérieur qui devait porter sur le mourir et la mort.

J'ai moi-même visité les camps de concentration. J'ai vu de mes propres yeux des wagons avec des chaussures d'enfants et d'autres remplis de cheveux humains provenant des victimes de ces camps. On avait transporté ces cheveux en Allemagne pour en confectionner des oreillers. Si l'on a senti l'odeur des camps de concentration de son propre nez et vu les fours crématoires de ses propres yeux, si en plus on était aussi jeune que moi à l'époque, on ne peut plus jamais être la même personne après une telle expérience. Car c'était l'inhumanité que l'on voyait en nous tous. Chacun de nous est capable de devenir un monstre nazi. Vous devez admettre que cette part existe en vous. Mais chacun a également la possibilité de devenir une Mère Theresa, si vous voyez qui je veux dire. Elle est une de mes saintes, une femme qui en Inde ramasse dans la rue des enfants et des adultes affamés et mourants. Elle est convaincue que pour ces mourants la vie vaut la peine d'être vécue à partir du moment où elle les a tenus dans ses bras, ne fût-ce que cinq minutes, pour les entourer de son amour. C'est un être merveilleux. Je voudrais que vous ayez l'occasion de la rencontrer.

Avant d'aller en Amérique, j'étais médecin de campagne en Suisse, et très heureuse. En fait, j'avais préparé ma vie pour aller en Inde afin d'y travailler en tant que médecin — comme Albert Schweitzer en Afrique. Mais deux mois avant le départ prévu on m'informa que le projet avait échoué. Et à la place de la jungle indienne je débarquai dans la jungle new-yorkaise après avoir épousé un Américain qui m'y emmena alors que c'était, de tous les endroits de la terre, celui où j'avais le moins envie de vivre. Et cela non plus ne fut pas un hasard. Il est facile de déménager dans une ville qu'on aime. Mais aller vivre dans une ville qui ne vous attire pas du tout est une épreuve à laquelle vous êtes soumis pour vérifier si vous êtes capable de réaliser l'objectif que vous vous êtes fixé dans la vie.

Je trouvai un poste de médecin dans le Manhattan State Hospital qui est également un endroit affreux. A l'époque, je ne connaissais pas grand-chose en psychiatrie. Je me sentais très seule, misérable et malheureuse. En plus, je ne voulais pas rendre mon mari malheureux. Je me tournai donc complètement vers mes malades. Je m'identifiais à leur malheur, leur solitude et leur désespoir. Et peu à peu mes malades commencèrent à se confier à moi et à me faire part de leurs sentiments. Et tout d'un coup je compris que je n'étais pas seule avec mes misères. Pendant deux ans je n'ai rien fait d'autre que de vivre et de travailler avec ces malades. Pour partager leur solitude, je célébrais avec eux toutes leurs fêtes, que ce soit Yom Kippour, Noël, la fête de Hannukkah ou Pâques. Comme je le disais, je connaissais peu la psychiatrie, et particulièrement la psychiatrie théorique qu'on devrait, dans ma position, connaître. En raison de mes connaissances linguistiques insuffisantes j'avais beaucoup de difficultés pour communiquer avec mes malades, mais nous nous aimions. Oui, nous nous aimions vraiment. Après deux ans, quatre-vingt-quatorze pour cent de ces malades purent quitter l'hôpital et se défendre à New York. Et depuis, beaucoup d'entre eux travaillent et s'assument. Rappelez-vous que tous étaient considérés comme « schizophrènes irrécupérables! ».

J'essaie de vous expliquer que le savoir est sans doute utile, mais que le savoir seul n'aidera personne. Si vous n'utilisez pas en plus de votre tête, votre cœur et votre âme, vous n'aiderez personne. Ce sont ces malades mentaux, soi-disant sans espoir, qui m'ont appris cette vérité. Au cours de mon travail auprès des malades — que ce soient des schizophrènes chroniques, des enfants handicapés mentaux ou des mourants — j'ai découvert que chacun d'eux a une finalité. Chacun de ces malades peut non seulement apprendre et recevoir votre aide, mais il peut même devenir votre maître. Ceci est vrai aussi bien pour des enfants handicapés mentaux, même s'ils n'ont que six mois, que pour des schizophrènes sévères qui à première vue ont un comportement animal. Mais les meilleurs maîtres de ce monde sont les mourants.

Si on prend le temps de s'asseoir à leur chevet, les mourants nous renseignent sur les phases du mourir. Ils nous montrent comment ils passent par les stades de la colère, du désespoir, du « pourquoi justement moi ? », comment ils accusent Dieu, Le rejetant même pendant un temps. Ils marchandent avec Lui et font ensuite les pires dépressions. Mais si au cours de ces phases ils sont accompagnés par un être qui les aime, ils peuvent atteindre le stade de l'acceptation. Tout cela n'a encore rien à voir avec les phases du mourir proprement dit. Nous les appelons les phases du mourir à défaut d'une meilleure désignation. Beaucoup de gens vivent les mêmes phases si un ami ou une amie les quitte, s'ils perdent un emploi, s'ils doivent abandonner la maison dans laquelle ils ont vécu pendant cinquante ans pour aller en maison de retraite, ou encore s'ils perdent une perruche ou une lentille de contact. Et ceci est à mon avis le sens de la souffrance. Toute souffrance est génératrice de croissance.

La plupart des gens considèrent leurs conditions de vie comme difficiles, leurs épreuves et tourments, leurs terreurs et toutes leurs pertes comme une malédiction, une punition de Dieu, quelque chose de négatif. Si seulement on pouvait comprendre que rien de ce qui nous arrive n'est négatif, et je souligne : absolument rien ! *Toutes les épreuves et souffrances, même les pertes les plus importantes ainsi que tous les événements dont on dit par la suite : « Si je l'avais su avant, je n'aurais jamais cru pouvoir tenir le coup », sont toujours des cadeaux.* Etre malheureux et souffrir est comme forger le fer rouge. C'est l'occasion qui nous est donnée pour grandir.

C'est la seule raison de notre existence sur terre. On ne peut pas grandir psychiquement en étant assis dans un beau jardin où l'on vous sert un succulent dîner sur un plateau d'argent. Mais on grandit lorsqu'on est malade ou lorsqu'on souffre, lorsqu'il faut faire face à une perte douloureuse. On grandit si l'on ne se met pas la tête dans le sable mais qu'au contraire on accepte la souffrance en essayant de la comprendre, non pas comme une malédiction ou une punition, mais comme un cadeau fait dans un but précis.

Je voudrais vous citer un exemple clinique. Dans un de mes groupes de travail qui durent une semaine et où tous les participants habitent ensemble, il y avait une jeune femme. Elle n'avait pas perdu un enfant, mais elle avait dû faire face à plusieurs — comme nous disons — « petites morts ». Lorsqu'elle accoucha de son deuxième enfant, une fille, très attendue, on lui fit savoir d'une façon très inhumaine que l'enfant était sévèrement arriérée et ne serait même jamais capable de reconnaître sa mère. A peine avait-elle réalisé l'épreuve que son mari la quitta. Elle se retrouva seule avec deux enfants dépendant d'elle, sans disposer de revenus ou d'assistance.

Au début elle nia tout énergiquement. Elle ne prononça même pas le mot « malade mental ». Ensuite sa colère se tourna contre Dieu. Elle Le maudit, puis nia Son existence jusqu'à finalement L'insulter. Elle essaya alors de marchander avec Lui et de faire des promesses : « Si mon enfant pouvait au moins apprendre quelque chose, si au moins il pouvait me reconnaître comme sa mère. » Et finalement elle vit la signification profonde de cet enfant. Et j'aimerais vous raconter comment elle réussit à résoudre son problème.

Elle commença à comprendre que rien dans la vie n'est dû au hasard. Elle regardait son enfant plus souvent pour essayer de trouver le sens d'une existence aussi misérable sur terre. Elle a trouvé la solution de l'énigme. Je voudrais vous lire un poème qu'elle a écrit et qui explique comment elle a trouvé la solution. Elle n'est pas poète, mais c'est un poème très touchant. Elle s'y identifie à son enfant qui parle à sa marraine, et c'est pourquoi elle a donné à ces vers le titre « Pour ma marraine ».

Qu'est-ce qu'une marraine?

Je sais que tu es quelque chose de spécial.

Pendant de longs mois tu as attendu mon arrivée.

Tu étais présente et tu m'as vue lorsque je n'avais que quelques minutes.

Et tu as changé mes couches lorsque je n'avais que quelques jours.

Dans tes rêves, tu imaginais comment serait ta première filleule.

Elle serait quelque chose de spécial comme ta sœur.

En pensée, tu m'accompagnais déjà à l'école, à l'université, à l'autel.

Qu'est-ce que je deviendrais ? Un honneur pour les miens ?

Mais Dieu avait d'autres projets pour moi.

Je ne suis que moi.

Personne n'a jamais dit que je serai quelque chose de précieux.

Quelque chose ne fonctionne pas dans ma tête.

Je serai à tout jamais un enfant de Dieu.

Je suis heureuse. J'aime tout le monde et tous m'aiment.

Je ne peux pas dire beaucoup de mots.

Mais je peux me faire comprendre et je comprends l'affection, la chaleur, la tendresse et l'amour.

Dans ma vie il y a des êtres particuliers.

Parfois je suis assise et je souris, et parfois je pleure.

Je voudrais bien savoir pourquoi.

Je suis heureuse et quelques personnes m'aiment.

Que puis-je demander de plus?

Bien sûr, je n'irai jamais à l'université et je ne me marierai jamais.

Mais ne sois pas triste. Dieu m'a faite très spéciale.

Je ne peux pas faire de mal. Je ne peux qu'aimer.

Et peut-être Dieu a-t-Il besoin de quelques enfants qui savent seulement aimer.

Tu te souviens lorsque je fus baptisée?

Tu me tenais et tu espérais que je ne crierais pas et que tu ne me laisserais pas tomber.

Rien de tel n'est arrivé, et ce fut une journée très heureuse.

Est-ce pour cela que tu es ma marraine?

Je sais que tu es tendre et chaleureuse, que tu m'aimes, mais dans tes yeux il y a quelque chose de très particulier.

Je vois ce regard et sens cet amour chez d'autres.

Je dois être spéciale pour avoir autant de mères.

Je ne réussirai jamais aux yeux du monde.

Mais je te promets quelque chose que peu de gens peuvent.

Puisque je ne connais qu'amour, bonté et innocence, l'éternité nous appartiendra, ma marraine.

C'est la même mère qui quelques mois auparavant était prête à laisser son enfant ramper vers la piscine en espérant qu'il y tomberait et se noierait alors qu'elle aurait été occupée dans la cuisine. J'espère que vous réalisez la transformation de cette femme.

C'est ce qui se passe pour tous ceux qui sont prêts à regarder les choses qui leur adviennent des deux côtés de la médaille, à l'envers et à l'endroit. Rien n'a qu'un aspect, même si quelqu'un est gravement malade, souffre et qu'il n'a personne à qui se confier, même s'il croit que la mort vient le chercher au milieu de sa vie alors qu'il n'a même pas commencé à vivre vraiment, même dans ce cas il faut qu'il regarde l'autre côté de la médaille.

Tout d'un coup on fait partie des rares personnes qui peuvent jeter tout leur fatras par-dessus bord. On peut aller vers quelqu'un et dire « Je t'aime ». Car on sait qu'il ne reste que peu de temps à vivre. On peut enfin faire des choses qu'on a vraiment envie de faire. Beaucoup parmi vous ici ne font pas le travail qu'au fond d'eux-mêmes ils auraient voulu faire. Vous devriez rentrer chez vous et commencer autre chose. Comprenez-vous ce que je veux vous dire? Personne ne devrait vivre en fonction de ce que les autres ont dit de faire. C'est comme si on obligeait un adolescent à préparer un métier qui ne lui convient pas. Si l'on écoute sa voix intérieure et son propre savoir intérieur qui par rapport à soi est plus important que tout autre savoir, on ne se trompera pas, et l'on saura ce qu'on doit faire de sa vie. Dans ce contexte, le facteur temps n'a aucune importance.

Après avoir travaillé avec des mourants pendant de nombreuses années et ayant appris d'eux ce qui est essentiel dans la vie, du fait qu'ils parlent juste avant de mourir de leurs regrets alors que tout semble trop tard, je commençai à réfléchir à ce qu'était la mort...

Dans mes cours, le rapport de Mme Schwarz fut le premier d'une malade qui ait eu une expérience extra-corporelle. Actuellement (1977), nous disposons déjà de centaines de rapports semblables, qu'ils aient été rédigés en Californie, en Australie ou ailleurs. Ils ont tous un dénominateur commun, à savoir que les personnes en question ont quitté leur corps physique en toute conscience. Cette mort, dont les scientifiques veulent nous convaincre, n'existe pas en réalité. La mort n'est que l'abandon du corps physique, de la même manière que le papillon quitte son cocon. *La mort est le passage dans un nouvel état de conscience* dans lequel on continue de sentir, de voir, d'entendre, de comprendre, de rire, où l'on a la possibilité de continuer à grandir. La seule chose que nous perdons lors de cette transformation est ce dont nous n'avons plus besoin, à savoir notre corps physique. C'est comme si à l'approche du printemps nous rangions notre manteau d'hiver, sachant qu'il est trop usé et que nous ne le remettrons pas de toute façon. La mort n'est rien d'autre.

Pas un de mes malades ayant eu une expérience du seuil de la mort n'a par la suite eu une quelconque peur de mourir. Et je voudrais le souligner : pas un seul ! Beaucoup de ces malades nous ont également dit qu'en plus de la paix, du calme et de la certitude de pouvoir percevoir sans être perçus, ils avaient une impression d'intégralité. A savoir que quelqu'un qui avait perdu une jambe lors d'un accident de voiture et qui la voyait par terre, avait l'impression d'être à nouveau en possession de ses deux jambes après avoir quitté son corps.

Une de nos malades est devenue aveugle à la suite d'une explosion de laboratoire. Immédiatement après, elle s'est trouvée à l'extérieur de son corps, où elle pouvait à nouveau voir. Elle regardait les suites de cet accident et décrivit plus tard ce qui se passait quand des gens arrivèrent sur les lieux. Lorsque les médecins réussirent par la suite à la faire revenir à la vie, elle était devenue complètement aveugle. C'est pourquoi beaucoup d'entre eux luttent contre nos tentatives de les ramener à la vie, parce qu'ils se trouvaient en un lieu tellement plus merveilleux, plus beau et plus parfait.

A ce propos, les moments les plus impressionnants concernent mon travail commencé il n'y a pas très longtemps, avec des enfants mourants. Actuellement, presque tous mes malades sont des enfants. Je les emmène chez eux afin qu'ils puissent y mourir. Je prépare leurs parents et leurs frères et sœurs. Les enfants ont très peur d'être seuls au moment de la mort et de n'avoir personne auprès d'eux. Mais au moment du passage, on n'est jamais seul. On n'est pas non plus seul dans la vie de tous les jours, mais on ne le sait pas. Or, au moment de la transformation, nos guides spirituels, nos anges gardiens et les êtres que nous avons aimés et qui sont partis avant nous, seront près de nous et nous aideront. Cela nous a toujours été confirmé, de sorte que nous ne doutons plus de ce fait. Notez que je fais cette constatation en tant que scientifique ! Il y a toujours quelqu'un pour nous aider lorsque nous nous transformons. Généralement ce sont les pères ou mères qui nous ont « précédés », les grands-pères ou grands-mères ou même un enfant qui est parti avant nous. Et souvent nous rencontrons ceux dont nous ignorions qu'ils étaient déjà « de l'autre côté »...

Nous avons le cas d'une fillette de douze ans qui ne voulait pas parler à sa mère de sa merveilleuse expérience, puisque aucune mère ne veut entendre qu'un de ses enfants s'est senti mieux ailleurs que chez elle. Ceci est compréhensible. Mais l'expérience de la fillette était si extraordinaire qu'elle avait eu besoin de la raconter à quelqu'un. Elle a donc confié à son père qu'elle avait vécu, lors de sa « mort », des événements si merveilleux qu'elle n'avait pas voulu revenir. Ce qu'il y avait de particulier — indépendamment de la splendeur magnifique et de la luminosité extraordinaire qui ont été décrites par la plupart des survivants — c'est que son frère était près d'elle et l'avait prise dans ses bras avec amour et tendresse. Après avoir raconté tout cela à son père, elle ajouta : « La seule chose que je ne comprenne pas est le fait que je n'ai pas de frère. » Son père se mit alors à pleurer et lui raconta qu'elle avait en effet eu un frère qui était mort trois mois avant sa naissance. Mais personne ne lui en avait jamais parlé. Voyez-vous pourquoi je vous cite un exemple comme celui-ci ? Parce que beaucoup de gens ont tendance à dire : « Bien sûr, elle n'était pas encore morte. Et au moment de la mort on pense naturellement à ceux qu'on aime et on les imagine physiquement. » Mais cette fillette de douze ans n'avait pas pu se représenter son frère.

A tous mes enfants mourants je demande qui ils souhaitent voir, qui ils aimeraient toujours avoir à leurs côtés. Bien entendu, cette question concerne toujours la présence terrestre. (Beaucoup de mes malades ne sont pas croyants et je ne pourrais pas parler avec eux d'une vie après la mort. Il va de soi que je n'impose à personne mes convictions.) Je demande donc à tous ces enfants qui ils souhaiteraient avoir près d'eux s'ils devaient choisir une personne. Quatre-vingt-dix-neuf pour cent se décident pour « maman » ou « papa ». Chez les enfants noirs c'est différent. Ils préfèrent souvent une de leurs tantes ou grands-mères. C'est elles qu'ils aiment le plus et qu'ils voient le plus souvent. Mais il s'agit là seulement de différences culturelles. Et aucun des enfants ayant opté pour « maman » ou « papa » n'a rapporté par la suite avoir vu au cours de son expérience du seuil de la mort l'un ou l'autre de ses parents, à moins que l'un d'eux ne soit décédé auparavant.

A nouveau, beaucoup de gens

diront : « Il s'agit d'une projection de pensée engendrée par un souhait. Car ceux qui meurent sont seuls, se sentent abandonnés et ont peur. C'est pour cela qu'ils projettent quelqu'un qu'ils aiment. » Si cette affirmation était vraie, quatre-vingt-dix-neuf pour cent de mes enfants de cinq, six ou sept ans devraient voir leur mère ou leur père. Mais pas un seul de tous ces enfants dont nous avons consigné les cas au fil des années n'a dit avoir vu lors de sa mort apparente, sa mère ou son père, puisque ceux-ci vivaient encore.

A la question de savoir qui on voyait lors d'une mort apparente, la réponse contient deux dénominateurs communs. Premièrement, la personne aperçue devait être « partie » auparavant, ne fût-ce qu'une minute plus tôt. Et deuxièmement, un lien d'amour réel avait dû exister entre eux.

Mais je n'ai pas raconté l'histoire de Mme Schwarz. Elle était morte deux semaines après que son fils avait terminé l'école. Comme une de mes nombreuses malades je l'aurais sans doute oubliée, si elle n'était pas revenue me voir.

Environ dix mois après son enterrement, j'étais une fois de plus en colère. Mon séminaire sur le mourir et la mort risquait de tomber à l'eau. Je devais renoncer à la collaboration du pasteur avec lequel je travaillais et que j'aimais beaucoup, et le nouveau pasteur cherchait à faire beaucoup d'effet auprès du public en faisant même appel aux médias. Nous étions donc obligés de parler chaque semaine des mêmes choses, car mon séminaire était entretemps devenu un événement. Je n'avais aucune envie de continuer à y participer. Je ressentais la situation comme une tentative de prolonger une vie qui ne vaut plus la peine d'être vécue. Je ne pouvais plus être moi-même. Je ne voyais qu'une issue pour m'éloigner de ce travail: quitter l'université. La décision était difficile, car j'aimais mon travail, mais pas dans cette forme. Je pris donc à contrecœur la décision suivante : « Je quitterai l'Université. Aujourd'hui, à l'issue de mon séminaire sur le mourir et la mort, je donnerai ma démission. »

Après chaque séminaire, le pasteur et moi-même regagnions ensemble l'ascenseur. Ce jour-là, quand il s'arrêta, nous terminions notre discussion au sujet de notre travail. Le problème de ce pasteur était d'être malentendant, ce qui compliquait les choses. Entre la salle de conférence et l'ascenseur, je lui dis trois fois qu'il devait reprendre le cours. Mais il ne m'entendit pas, continuant à parler d'autre chose. J'étais au bord du désespoir, et lorsque je suis désespérée, je deviens toujours très active. Avant que l'ascenseur ne s'arrête, je le pris au collet — il était gigantesque — et dis : « Restez là. J'ai pris une décision très importante et je voudrais vous en informer. »

A ce moment-là une femme apparut devant l'ascenseur. Sans le vouloir, je la regardai fixement. Je ne peux la décrire, mais vous pouvez vous imaginer ce que l'on ressent lorsqu'on voit quelqu'un qu'on connaît bien et dont on ne sait tout d'un coup plus qui il est. Je dis alors au pasteur: « Mon Dieu, qui est-ce? Je connais cette femme. Elle me regarde et elle attend que vous preniez l'ascenseur pour m'approcher. » J'étais tellement préoccupée par la vue de cette femme que j'avais complètement oublié que je tenais encore le pasteur au collet. Par cette apparition, mon projet fut déjoué. Elle était très transparente, mais pas assez pour qu'on ait pu voir à travers elle. Je demandai encore une fois au pasteur s'il connaissait cette femme, mais il ne répondit pas, de sorte que je n'insistai pas. La dernière chose que je lui dis, fut à peu près: « Zut! J'irai la voir et je lui dirai que pour l'instant son nom m'échappe. » Ce furent mes derniers mots avant qu'il ne parte.

Dès qu'il fut monté dans l'ascenseur, cette femme s'approcha et me dit : « Dr Ross, je devais revenir. Est-ce que vous permettez que je vous accompagne jusqu'à votre bureau ? Je n'abuserai pas de votre temps. » Elle dit quelque chose de ce genre. Et puisqu'elle savait apparemment où était mon bureau et qu'elle connaissait mon nom, je me sentis soulagée, n'ayant pas à admettre que je ne me rappelais pas le sien. Ce fut néanmoins le chemin le plus long de ma vie. Je suis psychiatre. Je travaille depuis longtemps avec des malades schizophrènes, et je les aime. Lorsqu'ils me font part de leurs hallucinations visuelles, je leur réponds chaque fois : « Je sais, vous voyez une vierge au mur. Mais moi je ne peux pas la voir. » Et maintenant je me dis à moi-même : « Elisabeth, tu sais que tu vois cette femme. Mais cela ne peut quand même pas être vrai. »

Pouvez-vous vous mettre à ma place ? Pendant tout le chemin de l'ascenseur à mon bureau, je me demandais si ce que je voyais était possible. Je me dis à moi-même : « Je suis trop fatiguée. J'ai besoin de vacances. Il faut que je touche cette femme pour savoir si elle existe vraiment. » Je la touchai donc pour voir si lors du contact elle se dissoudrait. Je sentis sa peau pour savoir si elle était chaude ou froide. C'était le chemin le plus incroyable que j'aie jamais fait. Et pendant tout ce temps je ne savais même pas pourquoi je faisais tout cela. Je ne savais pas non plus qui elle était en fait. Je supprimais même la pensée que cette apparition puisse être Mme Schwarz qui avait été enterrée quelques mois auparavant.

Lorsque ensemble nous atteignîmes la porte de mon bureau, elle l'ouvrit comme si j'étais l'invitée chez moi. Elle ouvrit la porte avec une politesse, une douceur et un amour irrésistibles et dit: « Dr Ross, je devais revenir pour deux raisons. La première c'est que je voudrais vous dire merci, à vous et au Pasteur G. (c'était le merveilleux pasteur noir avec lequel je m'étais si bien entendue) pour tout ce que vous avez fait pour moi. Mais la vraie raison pour laquelle je devais revenir, c'est pour vous dire que vous ne devez pas abandonner ce travail sur le mourir et la mort, tout au moins pas encore. »

Je le regardai, et je ne peux plus dire si à ce moment-là je pensais déjà avoir Mme Schwarz devant moi, sachant que celle-ci était enterrée depuis dix mois, et qu'en plus je ne croyais pas en la possibilité de tels retours.

Finalement j'allai à mon bureau. Je touchai les objets que je connaissais comme étant réels. Je touchai mon bureau, passai la main sur la table, palpai la chaise. Tout était concrètement présent. Et vous pouvez vous imaginer que pendant tout ce temps j'espérais que cette femme disparaîtrait enfin. Mais elle ne disparaissait pas. Elle restait et disait avec insistance, mais aimablement : « Dr Ross, vous m'entendez ? Votre travail n'est pas encore terminé. Nous vous aiderons. Vous saurez quand vous pourrez l'arrêter. Mais je vous en prie, ne l'arrêtez pas maintenant. Vous me le promettez ? Votre vrai travail ne fait que commencer. »

Pendant ce temps je pensais : « Mon Dieu, personne ne me croirait si je racontais ce que je suis en train de vivre. Même mes amis les plus proches ne me croiraient pas. » A l'époque je n'envisageais évidemment pas la possibilité d'en parler devant quelques centaines de personnes. Finalement, la scientifique en moi prit le dessus et m'adressant à elle avec une idée astucieuse, je lui dis : « Vous devez savoir que le pasteur G. vit maintenant à

Urbana », car il y avait repris une paroisse. Et je continuai : « Il serait sûrement ravi de recevoir un mot de vous. Y voyez-vous un inconvénient ? » Et je lui passai un crayon et une feuille de papier.

Vous aurez compris que je n'avais aucune intention d'envoyer ces lignes à mon ami. Mais j'avais besoin d'une preuve scientifique, car il est évident qu'une personne enterrée ne peut plus écrire de lettre. Et cette femme avec un sourire très humain — non ! pas humain — avec un sourire plein d'amour, pouvait lire toutes mes pensées. Je savais comme jamais auparavant qu'il s'agissait ici de lecture de la pensée. Elle prit le papier et écrivit quelques lignes. Bien sûr, nous l'avons encadré et nous le gardons comme un trésor. Ensuite elle dit, et ce sans ouvrir la bouche : « Etes-vous contente maintenant ? » Je la dévisageai fixement et pensai : « Je ne pourrai partager cette expérience avec personne, mais je conserverai cette feuille de papier. » Et puis, en se préparant à partir, elle répéta : « Dr Ross, vous me le promettez, n'est-ce pas ? » Je savais qu'elle parlait de la poursuite de mon travail. Et je répondis : « Oui, je le promets. » Et au moment où je disais « Je le promets », elle disparut. Nous possédons toujours ses lignes manuscrites...

Il y a un an et demi, on m'informa que mon travail auprès des mourants était maintenant terminé puisque d'autres pourraient le poursuivre, et que ce travail n'était pas la vraie vocation pour laquelle j'étais venue sur terre. Que toute ma recherche dans le domaine du mourir et de la mort n'aurait été pour moi qu'une épreuve pour vérifier si j'étais capable de m'imposer malgré les difficultés, la diffamation, la résistance et beaucoup d'autres choses. J'ai réussi cette épreuve. La deuxième épreuve consistait à constater si la gloire me monterait à la tête. Mais la gloire ne m'est pas montée à la tête. J'ai également réussi cette épreuve.

Ma vraie tâche — et là j'ai besoin de votre aide — consiste à dire aux hommes que *la mort n'existe pas*. Il est important que l'humanité le sache, car nous nous trouvons au seuil d'une période très difficile, non seulement pour l'Amérique, mais pour toute la planète Terre. La faute en incombe à notre soif de destruction, la faute en incombe aux armes atomiques, la faute en incombe à notre cupidité et à notre matérialisme, la faute en incombe à notre comportement en matière de pollution. Nous sommes coupables d'avoir détruit tant de dons de la nature, nous sommes coupables d'avoir perdu toute spiritualité. J'exagère un peu, mais sûrement pas beaucoup. Le seul moyen d'amener un changement pour l'avènement d'un nouvel âge, consiste en ce que la terre commence à trembler afin que nous soyons secoués.

Il faut que vous le sachiez, mais il ne faut pas que vous ayez peur. Ce n'est qu'en vous ouvrant à la spiritualité et en perdant la peur que vous arriverez à une compréhension et à des révélations supérieures. Tous ici peuvent y arriver. Vous n'avez pas besoin pour autant de vous adresser à un gourou, ni d'aller en Inde, il ne vous faut même pas un cours de méditation. Il suffit que vous appreniez dans le calme à entrer en contact avec votre moi. Cela ne vous coûte rien. Prenez contact avec votre propre être profond et *apprenez à vous débarrasser de toute peur*. Un moyen pour ne plus avoir peur est de savoir que la mort n'existe pas et que tout ce qui nous arrive dans cette vie sert *un but positif*. Débarrassez-vous de votre négativité, commencez à prendre la vie comme un défi, comme un lieu d'examen pour mettre vos capacités intérieures et votre force à l'épreuve.

Il n'y a pas de hasard. Dieu n'est pas quelqu'un qui punit et condamne. Après avoir définitivement quitté le corps physique, vous arriverez à l'endroit qu'on désigne comme enfer ou ciel, ce qui n'a rien à voir avec le Jugement Dernier. Ce que nous avons appris de nos amis qui sont partis, ce que nous avons appris des gens qui sont revenus, est l'assurance que chaque être après son passage — tout en ayant éprouvé le sentiment de paix, d'équilibre et de plénitude et ayant rencontré une personne aimée pour l'aider lors de ce passage — doit regarder quelque chose qui ressemble à un écran de télévision, où se reflètent tous nos actes, toutes nos paroles et pensées terrestres. Nous avons ainsi l'occasion de nous juger nous-mêmes à la place d'un Dieu sévère. Par votre vie ici-bas vous créez déjà maintenant votre enfer ou votre ciel dans l'au-delà.

La vie, la mort
et la vie après la mort

Je voudrais vous parler de quelques-unes des expériences concernant la vie, la mort et la vie après la mort que nous avons pu faire au cours de la dernière décennie, depuis que nous avons commencé à étudier sérieusement tout le domaine de la mort et d'une vie après la mort. Après nous être occupés pendant de nombreuses années de malades mourants, nous avons réalisé que nous autres humains — malgré notre présence sur cette terre depuis des millions d'années — n'avons toujours pas trouvé une réponse à la question qui est peut-être la plus importante de toutes : la définition, la signification et le but de la vie et de la mort.

J'aimerais partager avec vous quelques aspects de nos recherches dans ce domaine. Je pense que le temps est venu de réunir tout ce que nous avons découvert, dans un langage accessible à tous, afin de pouvoir éventuellement aider les hommes lorsqu'ils doivent faire face à la perte d'un être aimé. Surtout lorsqu'il s'agit d'une mort subite où nous ne comprenons pas pourquoi ce drame nous arrive. Il faut également savoir ces choses lorsqu'il s'agit d'assister des mourants et leurs familles. Et toujours on entend la question : « Qu'est-ce que la vie ? Qu'est-ce que la mort ? Pourquoi nos enfants, surtout les tout petits, doivent-ils mourir ? »

Pour différentes raisons, nous n'avons jusqu'à présent pas publié les résultats de nos recherches. Depuis longtemps nous étudions les expériences du seuil de la mort, mais nous avons toujours gardé présent à l'esprit le fait qu'il s'agissait là « seulement » d'une expérience du seuil de la mort, et non pas de la vraie mort. Avant de savoir ce qui arrivait aux personnes ayant achevé cette transition, nous avons préféré ne pas parler de nos recherches afin de ne pas répandre de demi-vérités. La seule chose que Shanti Nilaya ait jusqu'à présent publiée à ce sujet est une lettre que j'ai écrite et illustrée avec des crayons de couleur à un garçon de neuf ans du sud des Etats-Unis qui avait un cancer et qui, dans un mot qu'il m'avait adressé, avait posé cette question émouvante : « Qu'est-ce que la vie ? Qu'est-ce que la mort ? Et pourquoi des petits enfants doivent-ils mourir ? »

Auparavant, les gens avaient un contact beaucoup plus serré avec tout ce qui touche la mort, et ils croyaient à un ciel ou à une vie après la mort. Il y a seulement environ cent ans qu'a commencé le processus en vertu duquel il y a de moins en moins de gens qui savent avec certitude qu'après avoir quitté notre corps physique, une vie nous attend. Mais ce n'est pas ici que nous allons démontrer le cheminement de ce processus. Actuellement, *nous sommes déjà dans un nouvel âge de valeurs spirituelles* (à l'opposé des valeurs matérielles). Il ne faut pas identifier le terme de valeurs spirituelles avec religiosité. Il s'agit plutôt d'une prise de conscience, de la compréhension qu'il existe quelque chose de bien plus grand que nous qui a créé l'univers et la vie, et que dans cette création nous représentons une part importante et bien déterminée, qui peut contribuer au développement du tout.

A sa naissance, chacun de nous a reçu de la source divine l'étincelle divine. Et cela veut dire que nous portons en nous une partie de cette source. C'est grâce à celle-ci que nous nous savons immortels. Beaucoup de gens recommencent à réaliser que le corps physique n'est que la maison, le temple ou — comme nous aimons l'appeler — le cocon, que nous habitons pendant un certain nombre d'années jusqu'à cette transition qu'on appelle mort. Et dès que cette mort arrive, nous quittons le cocon et sommes libres comme un papillon, pour nous servir de cette image du langage symbolique que nous utilisons en parlant avec des enfants mourants ou avec leurs frères et sœurs.

Au cours des vingt dernières années je me suis essentiellement occupée de malades mourants. En commençant ce travail, je ne m'intéressais pas à une vie après la mort, je n'avais même pas une idée précise quant à la définition de la mort, mis à part la définition médicale qui m'était évidemment familière. Lorsqu'on y réfléchit, on s'aperçoit vite qu'il n'est jamais question d'autre chose que du corps physique, comme si l'homme n'était que ce cocon. Je faisais partie des scientifiques qui n'ont jamais remis cette conception en question. Je crois que définir la mort est redevenu d'actualité au moment où, dans les années soixante, on s'est demandé à quel moment, lors de la transplantation d'organes et plus particulièrement du foie et du cœur, on était en droit sur le plan éthique, moral et légal de prélever sur quelqu'un un organe pour le transplanter à un malade afin de le sauver. Depuis ces dernières années, cela a créé de grands problèmes pour la juridiction, notre matérialisme ayant atteint un point où nous autres médecins étions accusés par des personnes prétendant que tel membre de leur famille était encore en vie lorsqu'on lui avait retiré l'organe en question, ou bien on nous accusait d'avoir trop attendu pour réaliser la transplantation, prolongeant peut-être inutilement une vie. Les assurances ont également contribué à mettre ce problème en évidence. Lors d'un accident familial il est souvent très important de savoir qui, parmi les morts, est décédé le premier, même s'il ne s'agit que de minutes. Seul l'argent est alors en cause et il s'agit de savoir à qui il revient. Inutile de dire que ces querelles m'auraient laissée indifférente, si je n'avais eu à faire face à ces problèmes en raison de mon travail et de mes propres expériences au chevet des malades mourants.

Je suis de nature une demi-croyante sceptique, pour le dire prudemment. Comme telle je ne m'intéressais pas à l'éventualité d'une vie après la mort. Mais certaines observations se répétant avec une telle fréquence, je fus contrainte de me pencher sur le problème. A l'époque je commençais à me demander pourquoi personne n'avait encore étudié le problème de la mort, non pas pour des raisons scientifiques précises ou pour pouvoir s'en servir lors de procès, mais tout simplement par curiosité naturelle.

L'homme existe sur la planète Terre depuis des temps immémoriaux. Toutefois, dans sa forme actuelle — ce qui comprend sa ressemblance avec Dieu — il n'est démontrable que depuis quelques millions d'années. Chaque jour des hommes meurent partout. Et néanmoins dans notre société qui a réussi à envoyer un homme sur la lune et à le faire revenir sain et sauf, aucun effort n'est entrepris pour étudier la mort et arriver à une définition actualisée et universelle de la mort humaine. N'est-ce pas étrange ?

Alors que j'étais prise par mon travail avec les mourants et qu'en plus j'enseignais, mes étudiants et moi-même avons décidé un beau jour de s'essayer à une définition actualisée et universelle de la mort. Quelque part il est dit : « Demandez, et on vous donnera. Cherchez, et vous trouverez. Frappez, et on vous ouvrira. » En d'autres mots, un maître viendra lorsque l'élève sera prêt. Cette phrase s'est avérée tout à fait juste pour nous. Car déjà dans la première semaine qui suivit, quelques infirmières sont venues nous voir et partager avec nous une expérience déclenchée par une femme qui était pour la quinzième fois en soins intensifs. Cette fois-ci aussi on s'attendait à ce qu'elle meure. Et à nouveau, comme chaque fois jusqu'à présent, elle réussit à sortir de l'hôpital pour revivre pendant quelques semaines ou quelques mois. Comme nous pouvons maintenant le dire, elle fut notre premier cas d'une expérience du seuil de la mort.

Alors que nous étions en train d'étudier ce cas, je surveillais chez mes mourants, avec une sensibilité et une attention accrues, tous ces phénomènes inexpliqués qui se présentent juste avant la mort. Nombreux étaient ceux qui commençaient à « halluciner » et à répéter les paroles de proches qui étaient décédés avant eux et avec lesquels ils semblaient avoir une sorte de communication. Quant à moi, je ne pouvais ni voir ni entendre ces êtres. J'observais également que même les malades les plus rebelles et les plus difficiles se détendaient peu avant leur mort et dégageaient un calme solennel, les douleurs ayant cessé bien que leur corps fût envahi de tumeurs et de métastases. Je pouvais également observer qu'immédiatement après le décès, le visage de mes malades exprimait la paix, l'équilibre et une joie solennelle. Ceci était d'autant plus incompréhensible qu'il s'agissait souvent de décès où peu avant le mourant avait été dans un état de colère, d'agitation ou de dépression.

Ma troisième observation, et sans doute la plus subjective, était le fait que j'avais toujours été très proche de mes patients et que je m'étais permis de les approcher avec un amour profond. Ils ont influencé ma vie et moi la leur, d'une manière très personnelle et incisive. Mais déjà quelques minutes après leur décès, mes sentiments pour eux n'existaient plus, ce qui m'étonnait au point que je me demandais si j'étais normale. Lorsque je les regardais sur leur lit de mort, j'avais l'impression qu'ils avaient — comme lorsque le printemps arrive — enlevé leur manteau d'hiver puisqu'ils n'en avaient plus besoin. J'avais la certitude incroyable que ce corps n'était qu'une enveloppe et que mon malade bien-aimé n'était plus sur ce lit.

Bien entendu, en tant que scientifique je n'avais pas d'explication pour cela et j'avais tendance à mettre ces observations de côté. J'aurais sûrement gardé cette attitude si Mme Schwarz n'avait pas déclenché en moi un changement.

Son mari était schizophrène. Chaque fois qu'il avait une crise il essayait de tuer son fils qui était le cadet de plusieurs enfants et le seul à vivre encore à la maison. La malade était convaincue que si elle mourait trop tôt, son mari perdrait son contrôle et son fils serait en danger de mort. Grâce à une organisation d'aide sociale nous avons réussi à placer le fils auprès de membres de la famille. Ainsi Mme Schwarz quitta l'hôpital soulagée et libérée sachant que, même si elle ne vivait plus longtemps, son fils au moins serait en sécurité.

Elle revint dans notre hôpital après un an environ et partagea avec nous ce qui fut notre premier cas d'une expérience du seuil de la mort. Des expériences semblables ont été publiées ces dernières années dans de nombreux livres et journaux et sont de ce fait connues du grand public. D'après le rapport de Mme Schwarz, elle fut admise en urgence dans un hôpital local dans l'Indiana, puisque son état critique ne permettait pas un transport jusqu'à Chicago, trop éloigné. Elle se rappelle que son état était très délicat et qu'on la mit immédiatement dans une chambre privée. Et alors qu'elle se posait la question de savoir si pour son fils elle devait encore une fois braver la mort ou si elle pouvait tout simplement se laisser aller pour quitter son cocon, elle vit l'infirmière entrer, jeter un regard sur elle et se précipiter dehors. Tout d'un coup, Mme Schwarz se vit glisser, lentement et tranquillement, hors de son corps physique, et bientôt elle flotta à une certaine distance au-dessus de son lit. Avec humour, elle nous raconta comment de cette distance elle regardait son corps étendu qu'elle trouvait pâle et laid. Elle était étonnée et surprise, mais non pas effrayée ou peureuse. Elle nous raconta comment elle vit arriver l'équipe de réanimation, et nous expliqua dans le détail qui était arrivé le premier et qui le dernier. Non seulement elle entendit clairement chaque mot de la discussion, mais elle put également lire les pensées de chacun. Elle avait envie de les interpeller pour leur dire de ne pas se dépêcher, car elle allait très bien. Mais plus elle s'appliquait à le leur expliquer, plus ils s'affairaient autour de son corps, jusqu'à ce que peu à peu elle comprît que seule elle pouvait les comprendre, alors qu'eux ne l'entendaient pas. Mme Schwarz décida alors d'arrêter ses efforts, et elle perdit aussitôt — comme elle nous le dit textuellement — sa conscience. Elle fut déclarée morte après quarante-cinq minutes de tentatives de réanimation. A la surprise des médecins et des infirmières, elle donna ensuite à nouveau des signes de vie et vécut encore un an et demi. Elle a par la suite partagé cette expérience dans un de mes séminaires.

Je n'ai pas besoin de dire ici que pour moi cela représenta quelque chose de nouveau, car jusque-là je n'avais jamais entendu parler d'une telle expérience de mort apparente, bien que je fusse médecin depuis de nombreuses années. Mes étudiants étaient étonnés que je ne la classe pas tout simplement dans les hallucinations, illusions ou comme la désintégration de la conscience de personnalité. Ils voulaient à tout prix donner un nom à ce vécu de façon qu'on puisse l'identifier et donc le ranger, pour ne plus avoir à y penser.

Nous étions persuadés que l'expérience de Mme Schwarz n'était pas un cas isolé. Nous espérions découvrir d'autres cas similaires et même éventuellement recueillir suffisamment d'informations pour voir si la mort apparente était un événement fréquent, rare ou même unique, vécu seulement par Mme Schwarz.

Je n'ai pas besoin de dire — car c'est maintenant notoire — que de très nombreux chercheurs, médecins, psychologues et ceux qui étudient les phénomènes parapsychologiques ont entrepris de recenser des cas comme celui que l'on vient de décrire. Et au cours des dix dernières années on a rapporté dans le monde entier plus de vingt-cinq mille cas.

Le plus simple sera de résumer ce que ces gens, qui sont cliniquement morts, ont vécu au moment où leur corps physique a cessé de fonctionner. Nous l'appelons simplement expérience de mort apparente ou expérience du seuil de la mort (*near death experience*), puisque tous ces malades, une fois rétablis, ont pu la partager avec nous. Plus tard, je parlerai de ce qui arrive à ceux qui ne reviennent pas. Il est important de savoir que de tous les malades qui ont eu une défaillance cardiaque et qui sont revenus suite à une réanimation, seulement un sur dix garde le souvenir des expériences qu'il a vécues pendant son arrêt cardiaque. Cela se comprend aisément, compte tenu du fait que nous rêvons tous, mais que seul un petit pourcentage de personnes se rappelle de ses rêves au réveil.

Non seulement aux Etats-Unis, mais également au Canada, en Australie et ailleurs nous avons rassemblé des expériences telles que celle-ci. Le plus jeune avait deux ans, le plus âgé avait atteint quatre-vingt-dix-sept ans. Nous disposions ainsi d'expériences du seuil de la mort d'hommes d'origines culturelles et religieuses très différentes, comme par exemple celles d'esquimaux, d'aborigènes d'Hawaii ou d'Australie, d'hindous, de bouddhistes, protestants, catholiques, juifs et de ceux qui n'appartiennent à aucune religion, y compris ceux qui se considèrent comme agnostiques ou athées. Il était important pour nous de recenser des cas dans des domaines religieux et culturels aussi diversifiés que possible, afin d'être sûrs que les résultats de nos recherches ne puissent pas être refusés à cause d'un manque d'arguments. Au cours de nos investigations nous avons pu prouver que cette expérience du seuil de la mort n'est pas limitée à un certain milieu et qu'elle n'a rien à voir avec une religion ou une autre. Il est également sans importance qu'elle soit précédée d'un accident, d'un assassinat, d'un suicide ou d'une mort lente. Plus de la moitié des cas dont nous disposons relatent des expériences à la suite d'une mort apparente brutale, de sorte que les personnes n'ont pu avoir le temps de s'y préparer ou d'attendre un événement quelconque.

Après avoir rassemblé des cas pendant des années, nous pouvons dire que dans toutes ces expériences, certains faits peuvent être retenus comme dénominateur commun :

Au moment de la mort nous vivons tous la séparation du vrai moi immortel de sa maison temporelle, c'est-à-dire du corps physique. Ce moi immortel est également appelé âme ou entité. Ou si nous nous exprimons symboliquement comme nous le faisons avec les enfants, nous pourrions comparer ce moi qui se libère du corps terrestre à un papillon qui quitte son cocon. Dès que nous avons quitté notre corps physique, nous réalisons que nous ne ressentons ni panique, ni peur, ni chagrin. Nous nous percevons toujours comme une entité physique intégrale. Nous avons toujours conscience du lieu de l'accident ou de la mort, qu'il s'agisse d'une chambre de malade, de notre propre chambre à coucher où nous avons eu un infarctus, ou de l'endroit où a eu lieu l'accident de voiture ou d'avion. Nous apercevons clairement les personnes qui font partie d'une équipe de réanimation ou d'un groupe essayant de libérer un corps des débris d'une voiture. Nous sommes en mesure de regarder tout cela d'une distance de quelques mètres sans que notre état spirituel soit vraiment impliqué.

Qu'on me permette de parler d'état spirituel, puisque dans la plupart des cas, nous ne sommes alors plus reliés à notre appareil de réflexion physique ou le cerveau en fonctionnement.

Ces expériences ont souvent lieu au moment même où les ondes cérébrales ne peuvent plus être enregistrées pour prouver le fonctionnement du cerveau, ou lorsque les médecins ne peuvent plus constater le moindre signe de vie. Au moment où nous assistons à la scène de notre propre mort, nous percevons les discussions des personnes présentes, leurs particularités, leurs vêtements et leurs pensées, sans ressentir à propos de ces événements une impression négative.

Le corps que nous occupons passagèrement à ce moment-là et que nous percevons comme tel n'est pas le corps physique mais un corps éthérique. Plus tard, je parlerai des différences entre les énergies physique, psychique et spirituelle qui sont à l'origine de ces corps. Dans ce deuxième corps temporaire nous nous percevons comme une entité intégrale, comme je l'ai déjà mentionné. Si nous étions amputés d'une jambe, nous disposerions à nouveau de nos deux jambes. Si nous étions sourds-muets, nous pourrions à nouveau entendre, parler et chanter. Si une sclérose en plaques nous clouait dans le fauteuil roulant, avec des troubles de la vue, des problèmes d'expression verbale et sans pouvoir bouger les jambes, nous pourrions à nouveau chanter et danser.

Il est compréhensible que beaucoup de nos malades réanimés avec succès ne soient pas toujours reconnaissants que leur papillon ait été obligé de retourner dans le cocon, car avec le retour de nos fonctions physiques nous devons également accepter à nouveau les douleurs et infirmités qui y sont liées, alors que dans notre corps éthérique nous étions au-delà de toute douleur et de toute infirmité.

Beaucoup de mes collègues pensent que cet état s'explique par la projection de désirs, ce qui semble logique. Car si quelqu'un est paralysé, sourd, aveugle ou handicapé depuis des années, il attend sans doute le temps où ses souffrances seront terminées. Mais dans les cas dont nous disposons il ne s'agit pas de projections de désirs, ce qui peut être déduit des faits suivants :

Premièrement : la moitié des cas d'expériences du seuil de la mort que nous avons recueillis résultent d'accidents brutaux, c'est-à-dire inattendus, où la personne ne pouvait prévoir ce qui allait lui arriver. Pour ne citer que le cas d'un de nos malades ayant perdu les deux jambes lors d'un accident après avoir été renversé par une voiture dont le conducteur prit la fuite. Alors qu'il se trouvait à l'extérieur de son corps physique et qu'il voyait même l'une de ses jambes par terre, il fut néanmoins parfaitement conscient de se trouver dans un corps éthérique absolument parfait, et en possession de ses deux jambes. Nous ne pouvons pas supposer que cet homme savait à l'avance qu'il les perdrait, et qu'il projetait donc le souhait de pouvoir plus tard marcher à nouveau.

Mais il y a une deuxième preuve plus simple pour éliminer la thèse d'une projection de désir. Et cette preuve nous vient des aveugles qui au cours de cet état de mort apparente ne sont plus aveugles. Nous leur avons demandé de partager avec nous leurs expériences. Si chez eux il ne s'était agi que de projections de désirs, ils ne seraient pas en mesure de nous préciser la couleur d'un pull-over, le dessin d'une cravate ou le détail des dessins ou de la coupe des différents vêtements que portaient les personnes présentes à ce moment-là. Nous avons interrogé toute une série de personnes complètement aveugles.

Elles étaient capables non seulement de nous dire qui était entré dans la chambre en premier ou qui avait pratiqué la réanimation, mais pouvaient également décrire avec précision l'aspect et les vêtements de toutes les personnes présentes, une capacité donc dont ne disposent en aucun cas les aveugles.

En plus de l'absence de douleur et de la perception d'une intégralité corporelle dans un *corps simulé parfait* que nous pouvons appeler *corps éthérique*, les hommes prennent conscience qu'il est impossible de mourir seul. Il y a trois raisons pour affirmer que personne ne peut mourir seul. Et si je dis « personne », j'entends également celui qui meurt de soif dans le désert à quelques centaines de kilomètres de la personne la plus proche, ou encore l'astronaute qui traverse sans but l'univers dans sa capsule après l'échec de sa mission, jusqu'à ce qu'il trouve finalement la mort.

Lorsque nous nous préparons à la mort comme c'est souvent le cas avec des enfants qui ont un cancer, nous nous rendons compte que nous avons la possibilité de quitter notre corps physique et d'avoir ce que nous appelons une expérience extracorporelle. Nous tous avons de telles expériences lors de certaines phases de notre sommeil, mais rares sont ceux qui s'en rendent compte. Les enfants qui meurent et surtout ceux qui y sont préparés intérieurement ont une plus grande spiritualité que les enfants sains du même âge et prennent conscience de leurs brèves expériences extracorporelles. Cela les aide lors de leur transition de sorte qu'ils sont plus rapidement familiarisés avec leur nouvel environnement.

C'est au cours de ces sorties du corps dont nous parlent les enfants et les adultes qui meurent, qu'ils perçoivent la présence d'êtres les entourant, les guidant et les aidant. Les petits enfants les appellent souvent leurs « compagnons de jeu ». Les Eglises les ont appelés « anges gardiens », alors que la plupart des chercheurs les désignent comme « guides spirituels ». La désignation que nous pouvons leur donner est sans importance. Mais il est important de savoir que chaque être, depuis son premier souffle jusqu'à la transition qui termine son existence terrestre, est entouré de guides spirituels et d'anges gardiens, qui l'attendent et qui l'aident lors du passage de la vie dans l'au-delà. Nous sommes toujours reçus par ceux qui nous ont précédés dans la mort et que nous avons aimés autrefois. Parmi ceux qui nous accueillent peuvent par exemple se trouver nos enfants si nous les avons perdus tôt, ou les grands-parents, père, mère ou autres personnes qui nous étaient proches sur terre.

La troisième raison pour que nous ne soyons pas seuls lors de notre transition est qu'après avoir quitté notre corps physique — ce qui peut arriver avant la vraie mort — nous nous trouvons dans une existence dans laquelle il n'y a ni espace ni temps, puisque nous pouvons nous rendre instantanément n'importe où.

La petite Susy, qui meurt de leucémie dans un hôpital, est en permanence entourée par la tendresse de sa mère. Et la petite réalise qu'il lui sera de plus en plus difficile de quitter sa mère qui se penche parfois sur son lit et murmure : « Ne meurs pas, chérie. Tu ne peux pas me faire ça. Je ne pourrai pas vivre sans toi. » Cette mère — et elle est à l'image de beaucoup de nous — culpabilise le mourant. Et Susy, qui a quitté son corps pendant son sommeil ainsi qu'à l'état d'éveil pour se rendre partout où elle avait envie d'aller, ayant eu la certitude d'une existence après la mort et de la continuité de sa vie, demande alors tout simplement à sa mère de quitter l'hôpital. Dans ces situations-là, les enfants disent : « Maman, tu as l'air fatiguée. Pourquoi ne rentres-tu pas à la maison pour prendre une douche et te reposer ? Vraiment, je vais très bien. »

Et peut-être une demi-heure plus tard le téléphone sonne à la maison et quelqu'un de l'hôpital dit : « Mme Schmidt, nous sommes désolés d'avoir à vous informer que votre fille vient de décéder. »

Malheureusement, ces parents culpabilisent souvent par la suite. Ils ont honte et se reprochent de n'être pas restés une demi-journée de plus pour être présents au moment de la mort de l'enfant. Ces parents ne savent généralement pas que personne ne meurt seul. Car notre petite Susy avait déjà défait ses attaches terrestres. Elle avait acquis la capacité de quitter son cocon et de s'en libérer rapidement pour se rendre ensuite à la vitesse de la pensée auprès de sa maman ou de son papa ou vers toute personne qui l'attire.

Comme je l'ai déjà dit, nous portons tous des marques divines. Nous avons reçu ce don il y a des millions d'années. En plus du libre arbitre qui nous fut alors accordé, nous avons obtenu la capacité de quitter notre corps physique et ce, non seulement au moment de la mort, mais également au moment de crises, lors d'un épuisement, à l'occasion de circonstances extraordinaires ainsi qu'en certaines phases du sommeil.

Victor Frankl a écrit un livre merveilleux *Un psychiatre déporté témoigne* (Editions Chatel, Collection Terres Nouvelles. *The search for meaning*) dans lequel il décrit son vécu dans un camp de concentration. Il est probablement le savant le plus connu qui ait étudié les expériences extracorporelles. Il y a quelques dizaines d'années lorsque l'intérêt pour ces sujets était encore minime, il consignait déjà les récits de ceux qui avaient fait des chutes en montagne au cours desquelles toute leur vie se déroulait devant eux comme un film. Il étudiait le nombre d'expériences visualisées pendant les quelques secondes de la chute. Pour arriver à la conclusion qu'au cours d'expériences extracorporelles, le facteur temps ne peut pas intervenir. Beaucoup de gens ont eu une expérience similaire au moment d'une noyade ou lors d'une autre situation de danger majeur.

Nos recherches dans ce domaine ont été confirmées par des expériences scientifiques réalisées en collaboration avec Robert Monroe, auteur du livre *Le voyage hors du corps* (*Journeys out of the body*. Editions Garancière.). Non seulement j'ai vécu moi-même une expérience extra-corporelle spontanée, mais j'ai également assisté à celles induites en laboratoire sous la surveillance de Monroe, observées et exploitées par plusieurs savants de la Fondation Menninger à Topeka. De plus en plus de savants et chercheurs reprennent ses méthodes et les trouvent réalisables et riches en résultats. De telles recherches amènent obligatoirement des réflexions plus poussées concernant une autre dimension, difficilement conciliable avec notre pensée scientifique tridimensionnelle. On nous a également réclamé des preuves concluantes pour l'affirmation de l'existence de guides spirituels, d'anges gardiens et de proches ayant précédé le mourant et se trouvant là pour l'accueillir au moment du passage. Mais comment prouver scientifiquement une affirmation si souvent répétée ?

Pour moi, en tant que psychiatre, il était intéressant d'imaginer que des milliers d'hommes partout sur cette terre avaient la même hallucination au moment de leur mort, à savoir la perception de la présence de parents ou d'amis décédés avant eux. Après tout, il fallait essayer de savoir si derrière cette affirmation des mourants il n'y avait pas une vérité. Nous avons donc essayé de trouver des moyens pour vérifier ces affirmations, en prouver l'exactitude ou les démasquer tout simplement comme projections de désirs.

Nous pensions que la meilleure façon d'étudier ce problème était de nous asseoir au chevet d'enfants mourants après des accidents de famille. Nous avons mené ces recherches surtout après le 4 juillet, le Memorial Day, le Labor Day et lors de week-ends où des familles entières avaient l'habitude de se déplacer dans leurs grandes voitures, occasionnant souvent des collisions frontales au cours desquelles certains membres de la famille mouraient sur le coup, alors que d'autres étaient transférés dans différents hôpitaux. Puisque je m'occupe plus particulièrement des enfants, je me suis donné comme tâche de m'asseoir au chevet d'enfants en état critique. J'avais chaque fois la certitude que ces mourants ne connaissaient pas le nombre ni le nom des autres membres de la famille déjà décédés des suites de l'accident. Et pourtant, il était fascinant de constater qu'ils savaient toujours très exactement qui, parmi les autres, était déjà mort.

Je suis assise près d'eux, je les observe tranquillement, parfois je tiens leur main. Ainsi je perçois immédiatement toute agitation pouvant survenir chez eux. Peu avant la mort, se manifeste souvent une solennité paisible, ce qui est toujours un signe important. A ce moment-là je leur demande s'ils sont disposés à, et capables de partager avec moi leurs expériences du moment. Et ils m'ont souvent répondu dans des termes similaires à ceux de cet enfant qui disait : « Tout va bien. Ma mère et Pierre m'attendent déjà. » Je savais déjà que sa mère était décédée sur le lieu de l'accident, mais j'ignorais que son frère Pierre était déjà mort. Peu de temps après, j'appris par un appel de l'hôpital pédiatrique que Pierre était mort dix minutes plus tôt.

Pendant toutes ces années au cours desquelles nous avons rassemblé ces cas, nous n'avons jamais entendu un enfant mentionner un membre de sa famille qui n'était pas déjà décédé, ne fût-ce que quelques minutes plus tôt. Pour moi cela s'explique seulement par le fait que ces mourants avaient déjà aperçu les membres de leur famille morts avant eux. Ceux-ci les avaient attendus pour pouvoir s'unir à nouveau à eux dans une forme d'existence différente. Mais nombreux sont sans doute ceux qui ne peuvent encore imaginer un tel déroulement.

Une autre expérience m'émut même davantage que celles que j'avais auprès d'enfants. Il s'agit du cas d'une Indienne américaine. Dans nos documents, nous avons peu d'éléments se rapportant à des Indiens américains puisqu'ils parlent rarement du mourir et de la mort. Cette jeune Indienne fut renversée sur une voie rapide par un chauffard qui prit la fuite. Un étranger s'arrêta pour l'aider. Elle lui dit calmement qu'il n'y avait plus rien à faire pour elle, si ce n'est lui rendre le service suivant : si un jour il devait se trouver par hasard près de la réserve indienne, d'aller rendre visite à sa mère qui vivait à plus de mille kilomètres du lieu de l'accident. Elle avait un message qu'il pourrait lui transmettre. Ce message était qu'elle allait bien et que son père était déjà près d'elle. Ensuite elle mourut dans les bras de l'étranger qui fut si troublé par cet événement qu'il se mit immédiatement en route pour parcourir cette grande distance qui ne correspondait nullement à son itinéraire. Arrivé dans la réserve indienne, il apprit de la mère que son mari, donc le père de la jeune femme, était mort d'une défaillance cardiaque seulement une heure avant l'accident qui avait eu lieu à plus de mille kilomètres de là.

Nous disposons de nombreux cas comme celui-ci où les mourants, ignorant le décès d'un des leurs, disent néanmoins avoir été reçus par celui-ci. Nous savions que ces malades n'avaient nullement l'intention de nous convaincre de la non-existence de la mort, mais qu'ils voulaient uniquement partager avec nous une expérience qu'ils considéraient comme un fait. Si vous êtes vous-même prêt à vous ouvrir à ces choses sans préjugés, vous pourrez faire vos propres expériences dans ce domaine. En les demandant, on les obtient facilement.

Dans chaque auditoire de huit cents personnes il y a au moins douze individus qui ont eu une expérience du seuil de la mort telle que celle-là. Et ils seraient prêts à la partager avec vous si vous étiez sans préjugés, si vous ne vous fermiez pas à une telle information par la critique, la négativité, le jugement et l'idée fixe de donner immédiatement à ce rapport une étiquette psychiatrique. La seule raison qui empêche ces gens de parler de leur expérience est l'attitude incroyable de notre société qui les ridiculise ou nie ces choses, car elles nous dérangent et ne cadrent pas avec nos idées scientifiques ou religieuses. Tous ces événements dont je viens de vous parler vous arriveront dans une situation critique ou peu avant votre mort.

Je n'oublierai jamais mon cas le plus dramatique de « demandez et on vous donnera » dans ce contexte. Il s'agissait d'un homme que toute sa famille devait venir chercher sur son lieu de travail, un week-end de « Memorial day », pour rendre visite à des parents à la campagne. Alors que le bus familial dans lequel se trouvaient ses beaux-parents, sa femme et ses huit enfants était en route pour le rejoindre, il entra en collision avec un camion de carburant. L'essence s'étant enflammée, elle se répandit sur le minibus et brûla tous ses occupants. Lorsque l'homme eut connaissance de l'accident, il resta pendant quelques semaines dans un état de choc et de torpeur totale. Il ne se rendit plus à son travail, n'étant pas en mesure d'adresser la parole à qui que ce soit. Finalement, pour résumer l'histoire, il devint un homme dépravé, buvant chaque jour un demi-litre de whisky et se droguant avec toute sorte de produits dont l'héroïne, pour calmer sa douleur. Il ne fut plus capable de travailler de façon continue et finit, au sens propre du terme, dans le fossé.

Au cours d'une de mes épuisantes tournées, j'avais déjà donné à Santa Barbara deux conférences sur le thème de la « Vie après la mort », lorsqu'un groupe de personnel hospitalier me demanda de redonner encore une conférence. Ayant introduit cette troisième conférence, je réalisai que j'étais fatiguée de raconter toujours les mêmes histoires. Je me dis à moi-même : « Mon Dieu, pourquoi ne m'envoies-Tu pas un auditeur qui ait vécu cette expérience et qui soit prêt à la partager avec les autres. Ainsi je pourrais me reposer et les auditeurs auraient un témoignage de première main, sans avoir à écouter toujours mes vieilles histoires. » A ce moment-là, l'organisateur du groupe me glissa un mot contenant un message urgent d'un homme se trouvant dans un asile pour clochards. Il demandait à raconter son expérience du seuil de la mort. J'interrompis la conférence et lui envoyai un messager. Quelques minutes plus tard, après une course rapide en taxi, l'homme fit son apparition devant le public. Mais au lieu d'un clochard négligé auquel je m'attendais compte tenu de son domicile, un homme correctement vêtu et à l'allure sophistiquée monta sur l'estrade suite à mon invitation à partager avec les auditeurs ce qu'il avait envie de partager.

Il raconta que, s'étant réjoui d'avance de passer ce week-end avec toute sa famille et celle-ci étant en route pour le prendre, il arriva le tragique accident au cours duquel tous périrent par le feu. Il parla de son choc initial et de son hébétude et qu'au début il n'avait pu croire qu'il était tout d'un coup un homme seul, lui qui avait eu des enfants et n'en aurait plus, car il avait perdu toute sa famille dans un seul accident. Il nous décrivit comment, ne pouvant surmonter cette épreuve, le mari et père de famille bourgeois qu'il était devint un clochard dépravé, ivre en permanence, essayant toujours en vain de se suicider. Son dernier souvenir de cette vie, qu'il menait depuis deux ans, fut le suivant : il était couché, ivre et drogué, sur une route sale longeant une forêt. Il ne pensait qu'à une chose : n'avoir plus à vivre et se trouver à nouveau réuni avec sa famille. Lorsqu'il vit s'approcher un camion, il n'eut plus la force de s'éloigner, de sorte que le camion l'écrasa littéralement.

Il raconta qu'au même moment il se trouva à quelques mètres au-dessus du lieu de l'accident, regardant son corps dangereusement mutilé qui gisait sur la route. A ce moment-là sa famille apparut devant lui, rayonnante de luminosité et d'amour, un sourire heureux sur chaque visage. Elle communiqua avec lui, sans se servir de la bouche, par transmission de pensée. Elle lui fit savoir la joie et le bonheur que cette rencontre lui procurait. L'homme ne fut pas en mesure de nous dire combien de temps dura cette rencontre avec les membres de sa famille. Mais il fut si bouleversé par leur santé, leur beauté, leur rayonnement, leur acceptation de sa vie actuelle et leur amour inconditionnel, qu'il prêta serment de ne pas les toucher ni de les suivre, mais de retourner dans son corps terrestre pour faire savoir au monde ce qu'il venait de vivre et réparer ainsi ses vaines tentatives de suicide.

Ensuite il se retrouva sur le lieu de l'accident et observa à distance comment le chauffeur allongea son corps à l'intérieur du camion. Il vit l'arrivée de l'ambulance, son transport aux urgences d'un hôpital où on l'attacha sur un lit. C'est là qu'il retourna dans son corps et se réveilla, arrachant les courroies avec lesquelles on l'avait attaché. Il se leva et quitta les urgences sans avoir par la suite le moindre symptôme de delirium tremens et nul besoin de désintoxication suite aux abus de drogues et d'alcool.

Tout d'un coup il se sut guéri et rétabli. Il se jura de ne pas mourir tant qu'il n'aurait pas eu l'occasion de partager l'expérience d'une vie après la mort avec le plus de gens possible disposés à l'écouter. Ayant lu dans un journal local un article sur ma présence à Santa Barbara, il s'était décidé à me faire parvenir un message dans la salle de conférence.

En partageant son expérience avec l'auditoire, il put s'acquitter de la promesse qu'il avait faite lors de sa brève et heureuse rencontre avec sa famille.

Nous ne savons pas ce que cet homme est devenu depuis. Mais je n'oublierai jamais la lueur dans ses yeux, sa joie et sa gratitude d'avoir été guidé à un endroit où il lui fut permis, sans qu'on doutât ou se moquât de lui, d'être sur une tribune pour faire part à des centaines de membres du personnel hospitalier de sa conviction profonde que notre corps physique n'est qu'une enveloppe passagère qui entoure notre moi immortel.

La question se pose maintenant tout naturellement: qu'est-ce qui se passe après la mort?

Nous avons étudié le comportement de petits enfants qui n'ont lu ni le livre de Moody *La Vie après la vie*, ni les articles de journaux, et qui n'ont jamais été témoins de rapports comme celui que nous venons de relater. Même un enfant de deux ans nous a laissé partager son expérience de ce qu'il avait déjà considéré comme la mort. Dans ces témoignages il s'est avéré que des personnes d'appartenance religieuse différente voient également des apparitions différentes selon les religions. Notre meilleur exemple est peut-être celui de cet enfant de deux ans. A la suite d'une injection pratiquée par un médecin, ce petit garçon eut une réaction allergique d'une violence telle que le médecin le déclara mort. Et alors que le médecin et la mère attendaient l'arrivée du père qui avait été prévenu, elle embrassait son petit garçon, gémissant, pleurant et souffrant atrocement. Après un certain temps qui lui avait paru une éternité, l'enfant dit avec des mots qui auraient pu être ceux d'un vieil homme: « Maman, j'étais mort. J'étais chez Jésus et Marie. Et Marie m'a dit plusieurs fois que mon temps n'était pas encore venu et que je devais retourner sur terre. Mais je ne voulais pas la croire. Et comme elle voyait que je ne voulais pas l'écouter, elle me prit doucement par le poignet et m'éloigna de Jésus en disant : Pierre, tu dois retourner. Tu dois sauver ta mère du feu. » A ce moment-là il rouvrit les yeux. Et il ajouta avec ses propres mots : « Tu sais maman, quand elle m'a dit ça, j'ai couru tout le chemin jusque chez toi. »

Pendant treize ans, cette mère fut incapable de parler de cet événement avec qui que ce fût. Elle était très déprimée, car elle interprétait faussement ce que Marie avait dit à son fils.

Elle avait compris que ce serait son fils qui un jour la sauverait du feu, c'est-à-dire de l'enfer. Mais ce qu'elle ne comprenait pas, c'était pourquoi l'enfer l'attendait justement elle, alors qu'elle était une chrétienne convenable, croyante et travailleuse acharnée. J'ai essayé de lui expliquer qu'elle avait mal interprété le langage symbolique. Que ce message était un cadeau unique et merveilleux de Marie qui, comme tous les êtres au plan spirituel, est un être d'amour total et inconditionnel. Elle ne peut juger ni critiquer personne, contrairement aux êtres humains à qui de telles qualités font encore cruellement défaut. Je lui demandai de faire pendant un moment abstraction de ses pensées pour permettre à son quadrant spirituel et intuitif de lui répondre. Et puis je lui dis : « Qu'auriez-vous ressenti si Marie ne vous avait pas renvoyé votre Pierre, il y a treize ans ? » Elle prit sa tête à deux mains et s'écria : « Mon Dieu, cela aurait été l'enfer. » Il va de soi que je n'ai plus eu besoin de lui poser la question : « Comprenez-vous maintenant que Marie vous ait préservée du feu ? »

Les Saintes Ecritures abondent en exemples de langage symbolique. Et si les gens écoutaient davantage leur quadrant intuitif-spirituel, au lieu d'empoisonner les messages de cette merveilleuse source de communication avec leur propre négativité, leurs peurs, leurs sentiments de culpabilité, leur envie de punir les autres ou eux-mêmes, ils commenceraient également à comprendre le merveilleux langage symbolique des mourants lorsque ceux-ci cherchent à nous confier leurs soucis, leur savoir et leurs perceptions.

Je n'ai sans doute pas besoin de préciser qu'un enfant juif ne rencontrera guère Jésus, et qu'un enfant protestant ne verra sans doute pas Marie. Cela ne veut pas dire que ces êtres ne s'occuperaient pas d'enfants d'une autre religion, mais tout simplement que chacun obtient ce dont il a le plus besoin. Les êtres que nous rencontrons sont ceux que nous avons le plus aimés et qui sont décédés avant nous.

Après avoir été accueillis par nos parents et amis de l'au-delà, par nos guides spirituels et anges gardiens, nous passons par une transition symbolique qui est souvent décrite comme une sorte de tunnel. Parfois elle est vécue comme une rivière, parfois comme un portail, selon les valeurs symboliques respectives. Dans ma propre expérience ce fut un col de montagne avec des fleurs sauvages, pour la simple raison que ma représentation du ciel comprend des montagnes et des fleurs sauvages. Pendant ma jeunesse en Suisse, elles faisaient ma joie et mon bonheur. La conception du ciel dépend donc de facteurs culturels.

Après être passé par une transition visuellement très belle et fonction de l'individu, disons un tunnel, nous approchons d'une source lumineuse que beaucoup de nos malades ont décrite et qu'il me fut donné d'approcher moi-même. J'ai pu vivre l'expérience la plus merveilleuse qui soit. Elle est inoubliable. On l'appelle *conscience cosmique*. En présence de cette lumière que la plupart des initiés de notre culture occidentale appellent Christ, Dieu, Amour ou simplement Lumière, nous sommes enveloppés d'un amour total et inconditionnel empreint de compréhension et de compassion.

Cette lumière prend son origine dans la source de l'énergie spirituelle pure et n'a rien à voir avec l'énergie physique ou psychique. L'énergie spirituelle ne peut être ni créée ni manipulée par l'homme. Elle existe dans une sphère où la négativité est impossible. Cela veut dire aussi qu'en présence de cette lumière nous ne pouvons avoir de sentiments négatifs, quelque mauvaise qu'ait pu être notre vie et quelque profonds que puissent être nos sentiments de culpabilité. Dans cette lumière que beaucoup appellent Christ ou Dieu, il est également impossible d'être condamné, car Il est Amour absolu et inconditionnel. Dans cette lumière nous réalisons ce que nous aurions pu être, la vie que nous aurions pu mener. En présence de cette Lumière, entourés de compassion, d'amour et de compréhension, nous devons passer en revue toute notre vie pour l'évaluer, puisque nous ne sommes plus reliés à l'intelligence de notre cerveau physique qui nous a limités dans notre corps terrestre. Puisque nous ne sommes plus rattachés à un esprit (ou cerveau physique) ni au corps physique qui nous limite, nous avons le savoir et la compréhension absolue. Et c'est dans cette existence-là que nous devons revoir et évaluer chaque pensée, chaque mot et chaque acte de notre existence et que nous réalisons ses effets sur notre prochain. Nous devons juger nos pensées, nos paroles et nos actes.

En présence de l'énergie spirituelle, nous n'avons pas besoin d'une forme physique. Nous quittons le corps éthérique et reprenons la forme que nous avions avant d'être nés sur terre et que nous aurons dans l'éternité, entre nos vies, et que nous aurons lorsque nous nous unirons avec la Source, c'est-à-dire Dieu, après avoir accompli notre destinée.

Il importe de comprendre que depuis le début de notre existence jusqu'à notre retour vers Dieu, nous conservons toujours notre propre identité et notre structure d'énergie, et que parmi les milliards d'êtres dans tout l'univers il n'y a pas deux structures d'énergies, donc deux hommes, identiques, pas même des jumeaux homozygotes. Si quelqu'un devait douter de la grandeur de notre Créateur, il n'a qu'à réfléchir au génie qu'il faut pour créer des milliards de structures énergétiques sans qu'il y ait une seule répétition. Ainsi est fait à chaque homme le don de sa singularité. Je ne peux comparer cette merveille qu'au nombre infini de flocons de neige qui tombent sur la terre et dont on sait qu'il n'y en a pas deux qui soient identiques. Il me fut accordé la grâce de voir de mes propres yeux, en plein jour, des centaines de ces structures énergétiques. Cela ressemblait à un grand nombre de flocons de neige en mouvement, avec des pulsations, chacun ayant une lumière, des couleurs, des formes différentes. *C'est ainsi que nous serons après notre mort, et nous avons existé ainsi avant notre naissance.*

Il ne faut pas d'espace ni de temps pour se rendre littéralement d'une étoile à une autre, de la planète terre dans une autre galaxie. Les structures énergétiques même de ces entités peuvent se trouver chez nous. Si seulement nous avions des yeux pour voir, nous nous apercevrions que nous ne sommes jamais seuls, que nous sommes entourés d'*entités* qui nous aiment et nous protègent. Ils essaient de nous guider et de nous aider pour que nous restions dans le bon chemin afin d'accomplir notre destinée. Dans des périodes de grande douleur, de grande souffrance ou de grande solitude, notre perception augmente parfois au point de pouvoir reconnaître leur présence. Nous pourrions par exemple leur parler la nuit avant de nous endormir et leur demander de se montrer. Avant de nous endormir, nous pourrions également leur demander de nous faire parvenir la réponse dans nos rêves. Ceux parmi nous qui se souviennent de leurs rêves savent que beaucoup de nos questions y trouvent une réponse. Et au fur et à mesure que nous nous rapprochons de notre entité intérieure, de notre moi spirituel, nous réalisons que nous sommes guidés par cette entité intérieure qui est la nôtre, qui représente notre moi omniscient, cette partie immortelle que nous appelons papillon.

Je voudrais maintenant partager avec vous quelques aspects de mes propres expériences mystiques qui m'ont aidée à *savoir* plutôt qu'à *croire* que toutes les choses qui sont au-delà de notre compréhension scientifique sont des vérités et des réalités ouvertes à chacun de nous. Je tiens à souligner qu'autrefois je n'avais aucune idée d'une conscience supérieure. Je n'ai jamais eu de gourou, et je n'ai même jamais su méditer, ce qui est source de paix et de compréhension pour beaucoup de gens, non seulement en Orient, mais de plus en plus dans notre partie du monde. Il est vrai que je rentre en moi-même chaque fois que je parle avec des malades mourants. Et peut-être que ces milliers d'heures que j'ai passées au chevet de leur lit, où rien ni personne ne pouvait nous déranger, étaient une sorte de méditation. Vu sous cet angle, j'ai effectivement médité de très nombreuses heures. Mais je suis persuadée qu'il n'est pas nécessaire de vivre en ermite dans la montagne ou d'être assis aux pieds d'un gourou en Inde, pour faire ces expériences mystiques.

Je suis convaincue que chaque être a un quadrant (quart) physique, émotionnel, intellectuel et spirituel. Je pense également que si nous pouvions apprendre à nous libérer de nos sentiments dénaturés, de notre haine, de nos peurs, de nos larmes non versées, nous pourrions à nouveau nous trouver en harmonie avec notre vrai moi, tel que nous devrions être. Ce moi véritable est composé de ces quatre quadrants qui devraient se compléter et donner un tout harmonieux. Nous ne pouvons atteindre cet état d'équilibre intérieur qu'à condition d'avoir appris à accepter notre corps physique. Nous devons arriver à exprimer nos sentiments librement, sans avoir peur qu'on se moque de nous lorsque nous pleurons, que nous sommes en colère ou jaloux ou que nous nous efforçons de ressembler à quelqu'un à cause de ses talents, de ses dons ou de son comportement. Nous devons comprendre qu'il n'y a que deux peurs : la peur de tomber et la peur du bruit. Toutes les autres peurs nous ont été peu à peu imposées dans notre enfance par les adultes, car ils projetaient sur nous leurs propres peurs et les transmettaient ainsi de génération en génération.

Mais le plus important de tout est d'apprendre à aimer inconditionnellement. La plupart d'entre nous ont été élevés comme des prostituées. C'était toujours : Je t'aime « si »... Et ce mot « si » a ruiné et détruit plus de vies que n'importe quoi sur la planète Terre. Ce mot nous entraîne à la prostitution, car il nous fait croire qu'avec une bonne conduite ou de bonnes notes à l'école, nous pouvons acheter l'amour. De cette manière nous ne pouvons jamais développer le sens de l'amour de soi ou de la gratification de soi. Si, enfant, nous ne faisions pas les volontés des adultes, nous étions punis, alors qu'une éducation affectueuse aurait pu nous faire entendre raison. Nos maîtres spirituels nous ont dit que si nous avions grandi dans l'amour inconditionnel et la discipline, nous n'aurions jamais eu peur des tempêtes de la vie. Nous n'aurions plus peur des sentiments de culpabilité et d'angoisse, car ce sont là les seuls ennemis de l'homme. « Si vous recouvriez les Grands Canyons pour les protéger des tempêtes, vous ne verriez jamais la beauté de leurs formations. »

Comme je l'ai déjà dit, je ne cherchais pas de gourou et n'essayais pas de méditer ni d'arriver à un niveau de conscience supérieure. Mais chaque fois que je prenais conscience, par un malade ou par l'une ou l'autre circonstance de la vie, d'une négativité en moi, je cherchais à la chasser afin d'atteindre un jour cette harmonie entre mes quadrants physique, émotionnel, intellectuel et spirituel. Et quand je faisais mes « devoirs » et essayais d'appliquer à moi-même ce que j'enseignais, j'étais de plus en plus comblée d'expériences mystiques. Celles-ci résultaient d'un échange de pensées avec mon moi spirituel-intuitif, omniscient et comprenant tout. Entrait également en jeu la prise de contact avec ces forces conductrices qui viennent d'un monde intact, nous entourent en permanence et attendent l'occasion pour nous transmettre un savoir et des indications, mais également nous aider à comprendre notre raison d'être, et plus particulièrement la signification de notre sort individuel sur terre. Cela pour nous permettre d'accomplir notre destinée dans une seule vie terrestre, afin de n'avoir pas à revenir pour réviser les leçons que nous n'avons pu apprendre dans cette existence.

Je vécus une de mes premières expériences au cours d'une recherche scientifique où il me fut permis de quitter mon corps. Cette expérience fut induite par des moyens iatrogènes dans un laboratoire en Virginie et surveillée par quelques savants sceptiques. Au cours d'une de mes expériences extra-corporelles, je fus ramenée par le chef de laboratoire qui estimait que j'étais partie trop tôt et trop vite. A ma grande consternation, il interféra ainsi dans mes propres besoins et ma propre personnalité. Lors d'un essai suivant, je décidai de contourner le problème d'une intervention étrangère en programmant moi-même mon départ pour aller plus vite que la vitesse de la lumière et plus loin qu'aucun être humain n'était jamais allé lors d'une expérience extracorporelle. Au moment même où l'expérience fut induite, je quittai mon corps à une vitesse incroyable.

Mais la seule chose dont je me souvins à mon retour dans mon corps physique, fut le mot *SHANTI NILAYA*. Je n'avais aucune idée de la signification ou de l'interprétation de ce mot. Je ne savais donc pas où j'avais pu être. La seule chose que je savais dès avant mon retour est que j'étais guérie d'une constipation quasi totale ainsi que d'un problème dorsal très douloureux qui m'avait empêchée de ramasser même un livre. Or, après cette expérience extracorporelle j'ai pu constater que mon intestin fonctionnait à nouveau et que je pouvais soulever un sac de cinquante kilos sans fatigue ni douleur. Les personnes présentes disaient que j'avais rajeuni de vingt ans. Chacun d'eux essayait d'obtenir d'autres informations au sujet de mon expérience. Je ne savais pas où j'avais été, jusqu'à ce que j'en apprenne davantage la nuit suivante.

Je passais cette nuit dans une pension isolée au milieu d'une forêt des Blue Ridge Mountains. Peu à peu, non sans peur, je me rendis compte que dans mon expérience extracorporelle, j'étais allée trop loin et que je devais maintenant subir les conséquences de ma propre décision. J'essayai de lutter contre ma fatigue, pressentant que « *cela* » arriverait, sans savoir ce que « *cela* » pouvait bien être. Et au moment où je me laissai aller, j'eus probablement l'expérience la plus douloureuse et solitaire qu'un être humain puisse vivre. Au sens propre du mot je vécus les milliers de morts par lesquelles mes malades étaient passés. J'agonisai dans le sens physique, émotionnel, intellectuel et spirituel du terme. Je fus incapable de respirer. Au milieu de ces souffrances physiques, j'étais parfaitement consciente qu'il n'y avait personne à proximité pour m'aider. Je devais traverser cette nuit toute seule.

Au cours de ces heures atroces je n'eus que trois brefs répits. On pourrait comparer ces douleurs aux contractions d'un accouchement, mais elles se suivaient sans interruption. Lors des trois répits au cours desquels je réussis à respirer profondément, il se passa quelques événements importants au plan symbolique que je ne compris toutefois que beaucoup plus tard.

Lors du premier répit, je demandai une épaule sur laquelle j'aurais pu m'appuyer. Et je pensais en effet que l'épaule gauche d'un homme apparaîtrait sur laquelle j'aurais pu poser ma tête pour mieux supporter mes douleurs. Mais à peine avais-je fait cette demande qu'une voix profonde et sévère, mais pleine d'amour et de compassion, me dit simplement : « Elle ne te sera pas accordée. »

Après un temps infiniment long, un nouveau répit me fut accordé. Cette fois-ci je demandai une main que j'aurais pu saisir. Et à nouveau j'espérais qu'une main surgirait à la droite de mon lit, et que je pourrais bien saisir pour mieux supporter les douleurs. La même voix se fit à nouveau entendre : « Elle ne te sera pas accordée. »

Lors de mon troisième et dernier répit, je décidai de ne demander qu'un bout de doigt. Mais aussitôt j'ajoutai, comme c'est dans mon caractère : « Non, si on ne me donne pas de main, je renonce au bout de doigt. » Bien sûr, en disant bout de doigt, je sous-entendais la perception d'une présence, même si je ne pouvais m'accrocher à son bout de doigt.

Et pour la première fois de ma vie, l'issue fut celle de la foi. Et cette foi résultait de la conscience que je disposais moi-même d'assez de force et de courage pour pouvoir souffrir seule cette agonie. Je le savais profondément. Tout d'un coup, je compris que je n'avais qu'à cesser ma lutte, transformer ma résistance en soumission paisible et positive et dire tout simplement « oui ».

Au moment même où, en pensée, je dis « oui », ces souffrances cessèrent. Ma respiration se calma, la douleur physique disparut. Et à la place de ces mille morts, je fus gratifiée d'une expérience de renaissance qui ne saurait être décrite avec nos mots.

D'abord, il y eut une oscillation ou pulsation très rapide au niveau du ventre qui se répandit dans tout mon corps. Mais ce ne fut pas tout. Car cette vibration s'étendit à tout ce que je regardais, que ce soit le plafond, le mur, le sol, les meubles, le lit, la fenêtre ou même le ciel que j'apercevais à travers la fenêtre. Les arbres furent pris par cette vibration et finalement toute la planète Terre. J'avais effectivement l'impression que toute la planète Terre, que chaque molécule vibrait. Et ensuite je vis quelque chose qui ressemblait au bouton d'une fleur de lotus s'ouvrir devant moi pour devenir une fleur merveilleuse. Et derrière cette fleur de lotus il y eut soudain la lumière dont mes malades avaient toujours parlé. Et lorsque j'approchai la lumière à travers la fleur de lotus ouverte et vibrante, je fus doucement, mais de plus en plus intensément, attirée par cette lumière, cet amour inimaginable, inconditionnel, jusqu'à me fondre complètement avec lui.

Cependant, dès l'instant où je m'unis à cette source de lumière, toutes les vibrations cessèrent. Un grand calme m'envahit et je tombai dans un sommeil profond qui ressemblait à une transe. En me réveillant je savais que je devais mettre une robe et des sandales pour descendre la montagne et que « cela » arriverait au lever du soleil.

En me réveillant à nouveau environ une heure et demie plus tard, je mis la robe et les sandales et descendis la colline. Là je tombai dans l'extase la plus extraordinaire qu'il est donné à un être humain de vivre sur cette terre. J'étais dans un état d'amour absolu et admirais tout autour de moi. Je me trouvais en communion d'amour avec chaque feuille, chaque nuage, chaque brin d'herbe et chaque être vivant. Je sentais même les pulsations de chaque petite pierre sur le chemin, je passais au sens propre du terme « au-dessus » d'elles et les interpellais en pensée : « Je ne peux pas marcher sur vous car je ne voudrais pas vous faire mal. » Et lorsque je fus arrivée en bas de la colline, je pris conscience qu'aucun de mes pas n'avait touché le sol. Je ne doutais pas de la réalité de ce vécu. Il s'agissait tout simplement d'une perception résultant de la conscience cosmique. *Il m'était permis de reconnaître la vie dans chaque composant de la nature*, avec cet amour qu'on ne saurait formuler.

Il m'a fallu quelques jours pour me réadapter à nouveau à mon existence physique, pour vaquer aux banalités de la vie, faire la vaisselle, laver le linge ou préparer un repas pour ma famille. Et il m'a fallu plusieurs mois avant de pouvoir parler de mon expérience. J'ai pu la partager avec un groupe de gens merveilleux, qui ne jugeaient pas mais étaient compréhensifs, et qui m'avaient invitée à Berkeley en Californie à l'occasion d'un symposium sur la psychologie transpersonnelle. Après avoir partagé mon expérience avec ce groupe, ils lui donnèrent un nom : « Conscience cosmique ». Selon mon habitude, je me rendis droit dans une bibliothèque pour voir si je pouvais y emprunter un livre traitant ce sujet, et saisir la signification d'un tel état au plan intellectuel. Grâce à ce groupe j'appris également que le mot « Shanti Nilaya », qui m'avait été communiqué lorsque je me fondis dans l'énergie spirituelle, cette source première de lumière, signifie *le havre de paix final* qui nous attend, ce chez-soi où nous retournerons tous un jour après avoir traversé toutes nos angoisses, douleurs, souffrances et chagrins, après avoir appris à nous débarrasser de toutes ces douleurs pour être ce que le Créateur a voulu que nous soyons : un être en équilibre entre les quadrants physique, émotionnel, intellectuel et spirituel, donc un être qui a compris que le vrai amour n'est pas possessif et ne pose pas de conditions. Si nous vivons une vie d'amour totale, nous serons sains et intacts et nous serons alors en mesure d'accomplir dans une seule vie les tâches et les buts qui nous ont été assignés.

L'expérience que je viens de vous raconter a changé ma vie d'une façon que je ne saurais expliquer. Mais je crois avoir également compris à l'époque que si je faisais part de mon savoir sur la vie après la mort, j'aurais à passer littéralement par mille morts, puisque la société dans laquelle je vis essayerait de me démolir complètement. Mais l'expérience et le savoir, la joie, l'amour et l'excitation qui succèdent à l'agonie, sont des récompenses toujours de loin supérieures aux souffrances.

Impression réalisée sur Presse Offset par

BRODARD & TAUPIN

GROUPE CPI

30357 – La Flèche (Sarthe), le 13-07-2005
Dépôt légal : septembre 1990
Suite du premier tirage : juillet 2005

POCKET – 12, avenue d'Italie - 75627 Paris cedex 13
Tél. : 01.44.16.05.00

Imprimé en France